le port du bonheur

Barbara Cartland est une romancière anglaise dont la réputation n'est plus à faire.

Près de trois cents romans variés et passionnants mêlent aventures et amour.

Les Éditions J'ai Lu en ont déjà publié plus de quatre-vingts que vous retrouverez dans le catalogue gratuit disponible chez tous les libraires.

Les Éditions J'ai Lu publient également Les romans préférés de Barbara Cartland, un choix des livres qui ont enchanté sa jeunesse.

BARBARA CARTLAND

CHATTERHOUSE LIBRARY WITHDRAWN

le port du bonheur

traduit de l'anglais par France-Marie WATKINS

Éditions J'ai Lu

Ce roman a paru sous le titre original :

SECRET HARBOUR

© Barbara Cartland, 1982
Pour la traduction française :
© Éditions J'ai Lu, 1983

NOTE DE L'AUTEUR

A Grenade, la révolte des esclaves de Julius Fédor se termina en avril 1796. Dans la paroisse de Saint-George's, il n'y eut guère de combats.

La Martinique, d'abord colonisée par les Français en 1635, fut reprise aux Britanniques en 1802.

J'ai visité la Martinique en 1976 et je l'ai trouvée fascinante, possédant toutes les heureuses caractéristiques de la France y compris une cuisine délicieuse. J'y ai situé un de mes romans *La Magie de l'amour.*

En 1981, j'ai fait mon premier voyage à Grenade. « L'île des Epices » est aussi magnifique que la disent les guides et bien qu'elle fût devenue un Etat d'inspiration communiste en 1980, les seuls signes du régime étaient d'immenses affiches exhortant le peuple à soutenir la révolution. Elle s'était déroulée sans effusion de sang et les Grenadiens, courtois et souriants, étaient ravis d'accueillir des visiteurs.

Les forêts tropicales, les plages dorées, les plantations de noix muscade, de cacaotiers et de bananiers sont telles que je les ai décrites dans ce roman.

Le soleil brille, les arbustes fleuris jettent des taches de couleurs éclatantes et les palmiers se balancent dans la brise qui souffle d'une mer d'azur et d'émeraude.

Que demander de plus ?

1

1795

Grania monta rapidement les marches et s'arrêta sur le palier pour tendre l'oreille.

La maison était obscure mais ce n'était pas seulement les ténèbres qui l'effrayaient. Elle avait peur de ces voix qui venaient de la salle à manger, peur de cette atmosphère qu'elle sentait tendue, sinon maléfique.

Durant un mois, elle avait attendu avec une impatience presque puérile d'être de retour à Grenade; pour elle c'était comme revenir au foyer et elle était certaine que tout serait tel qu'elle l'avait quitté trois ans plus tôt.

Mais dès l'arrivée dans ces îles qui avaient toujours évoqué pour elle des émeraudes serties dans une mer bleue, tout avait mal tourné.

Elle était si sûre, quand son père lui avait annoncé qu'il la ramenait chez eux, qu'elle serait de nouveau heureuse, qu'elle retrouverait le bonheur qu'elle avait connu pendant les années où elle avait vécu dans l'île magique!

En ce temps, Grenade n'était habitée que par des gens souriants et aussi, pensait-elle, par des dieux et des déesses qui vivaient dans les montagnes, par des fées et des elfes qui couraient si vite parmi les muscadiers et les cocotiers qu'on ne faisait que les entrevoir.

– Ce sera merveilleux d'être de retour à Secret Harbour, dit Grania à son père quand ils eurent laissé derrière eux les tempêtes de l'Atlantique.

La mer calme et lisse étincelait au soleil et les matelots dans le gréement chantaient des chansons qui rappelaient à Grania son enfance.

Son père ne répondit pas et, au bout d'un moment, elle le regarda avec étonnement.

– Auriez-vous un souci, papa?

Depuis quelques jours, il buvait moins qu'au début du voyage et, malgré ce que la mère de Grania appelait une « vie dissipée », il était encore très séduisant.

– Il va falloir que je te parle de ton avenir, Grania, dit-il enfin.

– Mon avenir, papa?

Comme son père ne disait rien, elle fut prise d'une peur soudaine.

– Que... que dites-vous? Mon avenir est avec vous. Je veillerai sur vous comme le faisait maman et... et je suis sûre que nous serons très heureux, ensemble.

– J'ai d'autres projets pour toi.

Grania le dévisagea avec stupéfaction.

A ce moment, un officier du bord vint à eux et son père s'éloigna d'elle. Visiblement il ne souhaitait pas poursuivre la conversation.

Les intentions qu'il avait à son égard inquiétèrent toute la journée la jeune fille.

Elle eût voulu lui parler dans la soirée mais ils

dînèrent avec le capitaine et, après le repas, son père se révéla incapable d'avoir une conversation cohérente avec qui que ce soit.

Il en alla de même le lendemain et le surlendemain et ce fut seulement quand le vaisseau arriva en vue des montagnes qu'elle connaissait si bien que Grania parvint à parler seule à seul avec son père :

— Vous devez me dire, papa, quels sont vos projets pour moi, avant que nous rentrions chez nous.

— Nous ne rentrons pas directement chez nous, répondit le comte de Kilkerry.

— Comment cela?

— Non. J'ai pris des dispositions pour que nous passions un jour ou deux chez Roderick Maigrin.

— Pourquoi?

La question avait jailli brusquement des lèvres de Grania.

— Il veut te voir, Grania, il a même grand-hâte de te voir.

— Pourquoi? répéta Grania et cette fois sa voix trembla.

Elle sentit que son père s'armait de courage avant de répondre.

— Tu as dix-huit ans, dit-il d'un ton bourru qui révélait son embarras. Il est temps que tu te maries.

Pendant un moment, Grania fut incapable de répliquer, presque incapable de respirer. Puis elle dit d'une voix qui lui sembla étrangère à elle-même :

— Voulez-vous dire, papa, que... que M. Maigrin désire... m'épouser?

Elle se rappelait Roderick Maigrin. C'était un voisin que sa mère n'avait jamais aimé et qu'elle avait toujours refusé d'accueillir à Secret Harbour.

Un homme trapu, franc buveur, au parler rude et que l'on soupçonnait de traiter durement les esclaves de sa plantation.

Et puis il était aussi vieux que son père, et l'idée de l'épouser était tellement absurde qu'elle en aurait ri si elle n'avait eu si peur.

– Maigrin est un brave homme, dit son père, et fort riche.

Grania devait penser plus tard que ce n'était pas là toute l'explication.

Roderick Maigrin était riche, certes, et comme d'habitude son père devait être à court d'argent, au point de devoir compter sur la générosité de ses amis pour le rhum même qu'il buvait.

C'était ce penchant pour la boisson et le jeu, et l'abandon où il laissait ses terres qui avaient fait s'enfuir la mère de la jeune fille trois ans plus tôt.

– Quel espoir as-tu, ma chérie, d'avoir une bonne éducation ici? avait-elle dit à sa fille. Nous ne voyons personne si ce n'est les amis débauchés de ton père qui l'encouragent à boire et à perdre aux cartes jusqu'à son dernier liard.

– Papa a toujours des remords quand il vous met en colère, maman, avait répliqué Grania.

Pendant un instant, le visage de sa mère s'adoucit. Puis elle reprit :

– Oui, il a des remords et je lui pardonne. Je lui ai toujours pardonné. Mais maintenant je dois penser à toi.

Grania resta sans comprendre et sa mère poursuivit :

– Tu es seule, ma chérie, et ce n'est que justice que tu puisses avoir, comme je l'ai eue, la possibilité de fréquenter des gens de notre monde, d'aller à des bals et des réceptions auxquels ta position te donne droit.

Encore une fois, Grania ne comprit pas car il n'y avait pas de réceptions à Grenade, sauf quand ses parents se rendaient en visite chez des amis à Saint-George's ou à Charlotte Town.

En fait, elle était très heureuse à Secret Harbour; elle trouvait plaisir à jouer avec les enfants des esclaves.

Presque sans qu'elle s'en aperçût, sa mère l'avait emmenée, un matin très tôt, alors que son père cuvait encore ses excès de la veille.

Dans la rade de Saint-George's dominée par le fort, il y avait un grand navire qui, dès qu'elles furent à bord, hissa ses voiles et prit le large, s'éloignant de l'île qui avait été le foyer de Grania depuis qu'elle avait six ans.

Ce fut seulement à leur arrivée à Londres, quand elle vit sa mère entourée d'amis, que Grania se rendit compte combien celle-ci avait été hardie, à dix-huit ans à peine, d'épouser le séduisant comte de Kilkerry et de partir ensuite avec lui vers les Antilles.

– Votre maman était si belle, dit à Grania une des amies de sa mère, et quand elle nous a quittés, nous avons eu l'impression que Londres perdait un de ses joyaux. Elle est enfin de retour et brille comme autrefois. Nous sommes tous très heureux de la revoir.

Mais les choses avaient changé. Le père de sa mère était mort, les autres membres de sa famille étaient âgés et n'habitaient plus Londres et elles n'avaient pas assez d'argent pour reprendre leur place dans la joyeuse vie mondaine qui tourbillonnait autour du jeune prince de Galles.

La comtesse de Kilkerry, cependant, alla faire sa révérence au roi et à la reine et promit qu'un jour, dès qu'elle serait assez grande, Grania en ferait autant.

– En attendant, ma chérie, dit-elle, tu devras t'appliquer pour rattraper toute l'éducation qui t'a manqué.

Et Grania s'appliqua, car elle voulait faire plaisir à sa mère et aussi s'instruire.

Elle allait à l'école tous les jours et elle avait des précepteurs qui venaient chez elle, dans la petite maison que sa mère avait louée à Mayfair.

Ses études lui prenaient l'essentiel de son temps mais sa mère recevait beaucoup d'amis qui venaient pour le déjeuner ou le dîner et qui l'emmenaient à l'Opéra italien et aux Jardins de Vauxhall.

Grania trouvait que sa mère, délivrée des soucis constants que lui causait son mari, avait rajeuni et embelli. De plus, les toilettes qu'elle avait achetées dès leur arrivée à Londres lui allaient à merveille.

Les amples jupes de mousseline qu'elle portait, les larges ceintures de satin, les fichus qu'elle drapait sur ses épaules étaient très différents des robes qu'elle se taillait elle-même à Grenade.

A Londres, Grania développa son goût non seulement pour la toilette mais pour les meubles et les tableaux.

Cependant, alors que Grania allait avoir dix-huit ans et se préparait à être présentée au roi et à la reine, la comtesse tomba malade.

Peut-être était-ce le brouillard, le froid de l'hiver dont elle souffrait plus que ses amis pour avoir vécu si longtemps sous un climat très doux; peut-être était-ce une de ces fièvres pernicieuses toujours endémiques à Londres.

12

Quoi que ce fût, la comtesse s'affaiblit peu à peu jusqu'au jour où elle murmura à Grania :

– Je crois que tu devrais écrire à ton père pour lui demander de venir immédiatement. Il faut que quelqu'un veille sur toi, si je venais à mourir.

Grania poussa un cri d'horreur.

– Ne pensez pas à la mort, maman! Vous irez mieux dès que l'hiver sera fini. C'est le froid seul qui vous fait tousser et vous rend si malade.

Sa mère cependant insista et, comme Grania estimait que son père devait être mis au courant, elle lui écrivit.

Elle savait bien qu'il leur faudrait attendre avant de recevoir une réponse, car depuis les années qu'elles étaient au loin elles avaient rarement eu des nouvelles du comte de Kilkerry.

Certaines lettres sans doute devaient se perdre en mer mais d'autres arrivaient, longues et pleines de renseignements sur la maison, les plantations, le prix qu'il avait obtenu pour la récolte de noix muscade ou de graines de cacao.

D'autres fois, après des mois de silence, ce n'était qu'un billet griffonné à la hâte d'une main mal assurée.

Quand ces lettres-là arrivaient, Grania devinait aux lèvres pincées et à l'expression de sa mère qu'elle se félicitait d'être partie.

Elle savait que si elles étaient restées, c'eût été une succession des mêmes scènes à propos des excès de boisson de son père, les mêmes excuses, les mêmes pardons après les mêmes promesses qui jamais ne seraient tenues.

Un jour, Grania demanda à sa mère :

– Puisque nous dépensons votre argent ici, en Angleterre, comment fait papa à la maison?

Pendant un instant, elle crut que sa mère ne répondrait pas. La comtesse cependant se décida :

– Le peu d'argent qui m'appartient est dépensé pour toi, Grania. Ton père doit apprendre à vivre par lui-même. Ce serait excellent pour lui d'apprendre à compter sur lui-même plutôt que sur moi.

Grania ne répliqua rien mais songea que son père trouverait toujours quelqu'un sur qui compter ; à défaut de son épouse, ce serait sur un de ses amis avec qui il aimait tant boire et jouer.

Quelle que fût sa mauvaise conduite, ses excès de boisson, sa négligence à l'égard du domaine, le comte était doué d'un charme irlandais fascinant auquel personne ne pouvait résister.

Quand il n'avait pas bu, il était le plus amusant, le plus délicieux compagnon que Grania eût jamais connu.

Il avait un rire communicatif et une manière spirituelle de raconter des histoires et de plaisanter de tout.

– Donne à ton père deux pommes de terre et une caisse en bois et il te fera bientôt croire que c'est un carrosse attelé de deux chevaux qui te conduira au palais du roi ! avait dit un des amis de son père à Grania quand elle était petite fille et elle ne l'avait jamais oublié.

Pour son père, la vie était une aventure qu'il se refusait à prendre au sérieux et quand on était en sa compagnie il était difficile de ne pas être de son avis.

Mais, à présent, Grania prenait conscience que ces trois années de séparation l'avaient changé.

Il riait encore, il savait encore donner à ses récits une qualité magique, mais durant le long voyage à travers l'Atlantique, elle avait deviné qu'il lui

14

cachait quelque chose et, quand ils arrivèrent enfin à Grenade, elle découvrit de quoi il s'agissait.

Elle avait tout naturellement pensé qu'après la mort tragique de sa mère il souhaiterait avoir sa fille auprès de lui et tenter de recréer avec elle un foyer heureux.

Mais voilà que, incroyablement, il voulait la marier à un homme qui lui déplaisait depuis l'enfance, un homme que sa mère avait toujours méprisé.

Leur navire, dont la destination était le port de Saint-George's, changea de cap avec une complaisance tout antillaise et fit un détour pour les déposer là où le désirait son père.

La plantation de Roderick Maigrin était située dans la paroisse voisine de Saint-George's, baptisée par les Anglais Saint-David.

C'était la seule paroisse isolée de Grenade, située dans le sud de l'île à côté de Saint-George's et très semblable, par la beauté de ses paysages et de sa population.

A Westerhall Point, une petite péninsule couverte d'arbres et de buissons fleuris, Roderick Maigrin s'était bâti une grande maison, d'une architecture assez prétentieuse. Elle ressemblait à son propriétaire et elle déplut d'emblée à Grania.

Elle ne se souvenait pas d'y être venue mais à présent que le bateau de M. Maigrin les y conduisait, elle avait l'affreuse impression de faire route vers une prison.

Il lui serait impossible de s'évader, elle serait entièrement soumise au gros homme rougeaud qui les attendait.

— Heureux de vous revoir, Kilkerry! lança Roderick Maigrin de sa voix exagérément joviale, en donnant une claque dans le dos du comte.

Puis il tendit la main à Grania. En rencontrant son regard, elle dut faire un prodigieux effort de volonté pour ne pas regagner précipitamment le navire.

Mais déjà le bâtiment faisait voile vers l'ouest pour doubler la pointe de l'île avant de mettre cap au nord vers la rade de Saint-George's.

Roderick Maigrin les fit entrer dans sa maison où un serviteur préparait des punchs au rhum dans de hauts verres.

Un éclair brilla dans l'œil du comte quand il porta son verre à ses lèvres.

– J'attends ce moment depuis que j'ai quitté l'Angleterre, dit-il.

Roderick Maigrin éclata de rire.

– J'étais sûr que vous me diriez cela. Alors buvez! Ce n'est pas le rhum qui manque et je veux boire à la santé de la ravissante jeune fille que vous avez ramenée avec vous.

Il leva son verre tout en parlant et Grania vit ses petits yeux injectés la détailler avec une insolente impudeur.

Elle ressentit pour lui une telle haine qu'elle craignit de ne pouvoir garder son sang-froid en face de lui.

Elle trouva un prétexte pour se retirer dans sa chambre mais bientôt une servante vint lui annoncer que le dîner allait être servi. Elle se changea puis redescendit, s'efforçant de se comporter comme l'aurait voulu sa mère, avec dignité.

Ainsi qu'elle l'avait prévu, son père avait déjà beaucoup bu, de même que leur hôte.

A la fin du repas, les deux hommes ne feignaient même plus de manger; ils se contentaient de boire, en se portant des toasts, où il apparaissait claire-ment que le mariage aurait lieu dès que possible.

16

Le plus insultant pour Grania, c'était que Roderick Maigrin n'avait même pas eu l'élémentaire politesse de lui demander d'être sa femme : pour lui les choses allaient de soi, elle était son dû.

Elle savait qu'une fille doit s'incliner devant les décisions que peuvent prendre ses parents, en matière de mariage.

D'abord, elle s'étonna que son père ait pu imaginer que cet homme grossier et buveur serait un bon mari pour elle.

Mais bientôt les propos des deux hommes, les insinuations et les sous-entendus de Maigrin l'éclairèrent : en fait, il payait son père pour avoir le privilège de l'épouser et le comte de Kilkerry était très satisfait du marché.

Tandis que les plats se succédaient, elle restait silencieuse, mangeant à peine, écoutant avec horreur les deux hommes parler d'elle comme s'il se fût agi d'une poupée dépourvue de sentiments, de sensibilité et incapable d'avoir la moindre opinion personnelle.

Elle serait mariée, que cela lui plût ou non, et elle deviendrait la propriété d'un homme qu'elle abhorrait ; elle lui appartiendrait au même titre que les esclaves qui ne vivaient et respiraient qu'avec sa permission.

Elle détestait tout en lui : et ce qu'il disait et sa façon de le dire.

— Il s'est passé des événements passionnants en mon absence ? demanda son père.

Ce maudit pirate de Will Wilken a fait un raid nocturne, il a volé six de mes plus beaux porcs et une douzaine de dindons et il a égorgé le gamin qui essayait de l'en empêcher.

— Le gamin a eu du courage, observa le comte.

– C'était un fichu crétin de vouloir résister seul à Will Wilken, si vous voulez mon avis.

– C'est tout?

– Il y a un autre flibustier, un Français, qui rôde dans les parages. Si jamais je le vois, je lui envoie du plomb entre les deux yeux. Un nommé Beaufort.

Grania n'écoutait plus que d'une oreille. Ce fut seulement quand le repas fut terminé, quand les serviteurs posèrent sur la table un nombre imposant de bouteilles et remplirent les verres, qu'elle se rendit compte qu'elle pouvait enfin s'éclipser.

Elle se dit que son père n'était plus en état de remarquer quoi que ce soit; quant à Roderick Maigrin, ivre comme il l'était, il aurait sans doute du mal à la suivre.

Elle attendit encore un instant pour se lever et, sans un mot, se glissa discrètement hors de la pièce en refermant la porte derrière elle.

En montant rapidement l'escalier, courant vers le refuge de sa chambre, elle s'interrogeait.

Elle se demanda qui dans l'île pourrait l'aider. Mais à quoi bon? Même si l'on acceptait de l'accueillir, son père viendrait la rechercher et personne ne pourrait s'y opposer ni même protester.

Alors qu'elle hésitait sur le palier, elle entendit le rire de Roderick Maigrin et frissonna d'horreur. Ce n'était pas seulement le rire de l'homme ivre mais celui d'un homme content de son sort, d'un homme qui avait obtenu ce qu'il désirait. Tout ce qu'il désirait.

Roderick Maigrin ne la voulait pas seulement pour sa beauté et sa jeunesse, mais encore parce qu'elle était la fille du comte de Kilkerry et, de ce fait, admise dans la bonne société de Grenade.

C'était pour cela qu'il s'était lié avec son père, se

dit-elle, pas uniquement parce qu'ils étaient voisins mais parce qu'il voulait être l'ami d'un homme qui était reçu, consulté et respecté par le gouverneur et toutes les personnes qui comptaient dans l'île.

Avant de quitter l'île, Grania avait commencé à comprendre les mécanismes du snobisme qui fonctionnaient partout où les Britanniques étaient les maîtres.

Sa mère pourtant n'avait pas caché que Roderick Maigrin lui déplaisait, non seulement à cause de son manque de qualité mais à cause de sa conduite.

– Cet homme est grossier et vulgaire, et je refuse de le recevoir chez moi.

– C'est un voisin, protesta le comte avec insouciance et nous n'en avons pas tant que nous puissions faire les difficiles.

– J'ai bien l'intention de faire la difficile, comme vous dites, répliqua la comtesse. Nous avons assez d'autres amis, et d'ailleurs aucun d'eux ne souhaiterait rencontrer Roderick Maigrin.

Le comte avait discuté mais la comtesse était restée ferme.

– Il me déplaît et je n'ai pas confiance en lui, conclut-elle. De plus, en dépit de tout ce que vous pouvez dire, je crois ce que l'on raconte, à savoir qu'il maltraite ses esclaves. Je ne veux donc pas le voir ici.

Elle eut gain de cause dans la mesure où Maigrin ne fut pas invité à Secret Harbour, mais Grania savait que son père et lui se retrouvaient pour des beuveries, dans l'un ou l'autre coin de l'île.

Sa mère était morte à présent et son père voulait qu'elle épouse un homme qui représentait tout ce qu'elle haïssait et méprisait.

« Que dois-je faire ? »

La question tournait inlassablement dans sa tête

et quand elle se fut réfugiée dans sa chambre, sa porte fermée à double tour, il lui sembla que la brise qui entrait par la fenêtre ouverte la répétait encore.

Elle n'alluma pas les chandelles de la table de toilette mais alla contempler un ciel incrusté de milliers d'étoiles.

Le clair de lune brillait sur les palmiers qui ondulaient au léger vent du large.

A la fenêtre, Grania respira un âcre parfum où se mêlaient la muscade, la cannelle et la senteur douceâtre des girofliers.

Peut-être rêvait-elle, mais cette odeur faisait tellement partie de ses souvenirs qu'elle eut l'impression que les épices de l'île l'appelaient et, à leur façon, lui souhaitaient bon retour.

Mais retour à quoi?

A Roderick Maigrin, à une terreur telle qu'elle préférerait mourir que de l'endurer.

Combien de temps elle resta à sa fenêtre, elle eût été incapable de le dire.

Elle savait seulement que dans l'instant ses années d'Angleterre s'évanouissaient comme si elles n'avaient jamais existé et qu'elle faisait à nouveau partie de l'île, totalement.

L'île, ce n'était pas seulement la magie de la jungle tropicale, les fougères, les lianes et les épices mais l'histoire même de sa propre vie.

Un monde de boucaniers et de pirates, de cyclones et d'éruptions volcaniques, de batailles entre les Français et les Anglais.

Elle n'était plus lady Grania, elle ne faisait qu'un avec les esprits de Grenade, les fleurs, les palmiers et les vagues soyeuses qu'elle entendait murmurer au loin.

– Aidez-moi! Aidez-moi! cria-t-elle.

Elle appelait l'île à son secours comme si elle pouvait comprendre ses tourments et lui venir en aide.

Longtemps après, Grania se déshabilla lentement et se mit au lit.

Elle n'avait plus entendu le moindre bruit dans la maison alors qu'elle contemplait la nuit et elle pensa que si son père était monté se coucher, elle aurait entendu ses pas dans l'escalier. Cependant elle ne s'inquiéta pas pour lui, comme cela lui était si souvent arrivé depuis qu'il avait repris place dans sa vie.

Elle ne pensait qu'à elle, et les yeux fermés, au seuil du sommeil, elle priait de tout son être dans l'espoir d'un secours.

Grania fut réveillée en sursaut par un bruit qu'elle devina plus qu'elle ne l'entendit.

En reprenant conscience, elle l'entendit de nouveau et, un instant, elle crut que quelqu'un grattait à la porte de sa chambre et elle eut peur.

Mais elle se rendit compte que le son venait de l'extérieur. De nouveau elle perçut un léger sifflement, puis son nom chuchoté.

Elle se leva et alla à la fenêtre qu'elle avait laissée ouverte. Elle se pencha et, au-dessous d'elle, elle vit Abe.

C'était le valet de son père, qui l'avait accompagné en Angleterre et qu'elle connaissait depuis sa plus tendre enfance.

En leur absence, Abe avait veillé sur la maison et choisi les quelques domestiques que le comte pouvait se permettre.

C'était Abe qui, à Grenade, l'avait emmenée en bateau pour la première fois, et elle l'avait aidé à

21

rapporter les homards qu'ils attrapaient dans la petite baie, à découvrir les huîtres que son père préférait à tout autre fruit de mer.

C'était Abe qui lui avait appris à monter un poney, quand elle était encore trop petite pour faire à pied le tour de la plantation.

C'était Abe qui allait avec elle à Saint-George's quand elle voulait faire des achats ou simplement contempler les grands navires qui venaient décharger leur cargaison ou embarquer des passagers pour les autres îles.

— Je ne sais pas ce que nous ferions sans Abe, disait presque tous les jours sa mère.

Quand elles étaient parties pour Londres sans lui, Grania avait eu l'impression qu'il leur manquait à toutes les deux.

— Nous aurions dû l'emmener avec nous, disait-elle parfois mais sa mère secouait la tête.

— Ton père avait besoin de lui à ses côtés.

Quand Grania avait écrit à son père et qu'il était arrivé trop tard pour dire un dernier adieu à la comtesse, Abe était présent.

Elle avait été si heureuse de le voir qu'elle avait failli se jeter à son cou.

Elle s'était retenue, surtout parce qu'elle savait que cela embarrasserait Abe. Mais la vue de son bon visage, couleur de café, avait réveillé toute sa nostalgie de Grenade.

Penchée à la fenêtre, elle demanda :

— Qu'est-ce qu'il y a, Abe?

— Je dois te parler, milady.

Il l'appelait « milady », maintenant, mais quand elle était enfant il disait « petite lady ». Quelque chose dans sa voix avertit Grania que c'était important.

— Je descends, dit-elle, puis elle hésita.

Abe devina sa pensée.

– Risque rien, milady. Maître pas entendre.

Grania n'eut pas besoin d'explication pour comprendre et, sans un mot de plus, elle passa sa robe de chambre et mit une paire de pantoufles de velours.

Puis, prudemment, sans faire de bruit, elle ouvrit la porte.

En fait, ce n'était pas son père qu'elle craignait de rencontrer mais leur hôte.

Les chandelles brûlaient encore dans l'escalier mais faiblement. Une fois dans le hall, elle pénétra dans un salon qui donnait sur le jardin.

Elle ouvrit la porte-fenêtre de la véranda et alors qu'elle soulevait le loquet, Abe sauta sur les marches de bois pour la rejoindre.

– Nous partir vite, milady.

– Partir? Que veux-tu dire?

– Danger, grand danger!

– Qu'y a-t-il? Qu'est-ce que tu racontes?

Avant de répondre, Abe regarda par-dessus son épaule, comme s'il avait peur qu'on puisse l'entendre. Puis il murmura :

– La révolte a commencé à Grenville, parmi les esclaves français.

– Une révolte! s'exclama Grania.

– Très mauvaise. Ils tuent beaucoup d'Anglais.

– Comment le sais-tu?

– Y en a qui ont fui. Arrivés ici à la nuit.

Abe se retourna encore une fois avant d'ajouter :

– Esclaves d'ici, ils rejoignent les révoltés!

Grania ne douta pas un instant qu'il disait la vérité.

Il y avait toujours des rumeurs de troubles et de révoltes dans les îles qui changeaient constamment de mains, conquises tour à tour par les Français ou les Anglais.

Le seul élément surprenant était que cela arrive à Grenade, qui était anglaise depuis douze ans après une brève période passée sous la domination française.

Mais lors de son dernier voyage, les officiers du navire parlaient constamment de la révolution en France et de l'exécution de Louis XVI, qui avait eu lieu deux ans plus tôt.

— Il est évident que les esclaves français des îles vont s'agiter, avait dit le capitaine. Ils voudront, eux aussi, faire leur révolution.

Et maintenant, la révolte éclatait à Grenade et Grania avait peur.

— Où irons-nous? demanda-t-elle.

— A la maison, maîtresse. Bien plus sûr. Peu de gens trouvent Secret Harbour.

C'était vrai. Secret Harbour portait bien son nom.

La maison était située dans une partie isolée de l'île et serait, fort probablement, un lieu sûr.

— Nous devons nous y rendre immédiatement! dit-elle. As-tu averti papa?

Abe secoua la tête.

— Pas réveillé maître. Viens maintenant, milady. Maître suivra.

Grania hésita un instant, à la pensée de s'éloigner de son père. Puis elle songea qu'elle s'éloignait aussi de Roderick Maigrin et c'était là certainement son vœu le plus cher.

— Très bien, Abe, dit-elle. Nous devons partir s'il y a du danger et je suis sûre que papa nous suivra demain.

— J'ai trois chevaux prêts, et un porte-bagages.

Grania allait dire que ses bagages n'avaient pas

d'importance quand elle se ravisa. Après tout, elle était partie depuis trois ans et elle n'avait rien à se mettre, à part les vêtements qu'elle avait rapportés de Londres.

Comme s'il sentait son hésitation, Abe lui dit :

– Laisse-moi faire, milady. Je cherche malle.

Puis, comme s'il était soudain effrayé, il ajouta :

– Vite ! Pars vite ! Pas temps à perdre !

Grania étouffa un petit cri puis, relevant sa robe de chambre à deux mains, elle rentra en courant et se précipita dans sa chambre. Il ne lui fallut que quelques minutes pour mettre son amazone et jeter la robe qu'elle avait portée au dîner et ses vêtements de nuit sur le dessus de la malle encore pleine. Un seul bagage avait été monté, le reste attendait encore en bas.

Elle achevait de boutonner son corsage de mousseline quand Abe gratta doucement à la porte.

– Je suis prête, chuchota-t-elle.

Il entra, ferma la malle, boucla les courroies et la hissa sur son épaule. Il descendit en silence.

Grania le suivit mais, arrivée dans le hall, elle se rendit compte qu'elle ne pouvait partir sans faire savoir à son père où elle allait.

Elle avait remarqué un secrétaire, dans le salon où Roderick Maigrin les avait reçus avant le dîner. Une chandelle à la main, elle chercha une feuille de papier.

Elle la trouva, ainsi qu'une plume d'oie. Elle écrivit rapidement : *Je rentre à la maison, Grania.*

Tenant toujours la chandelle, elle revint dans le vestibule.

Pendant un instant, elle se demanda si elle allait laisser le billet sur une console, bien en évidence. Puis elle craignit que le papier ne soit subtilisé.

Le cœur battant, elle tourna lentement le bouton

de la porte de la salle à manger. Elle s'entrouvrit et Grania risqua un coup d'œil dans la pièce.

La lumière des chandeliers révéla les deux hommes vautrés sur la table, ivres morts, la tête parmi les bouteilles et les verres.

Pendant un instant, Grania contempla celui qui était son père et celui qui devait devenir son époux.

Comme s'il lui était impossible de s'approcher, elle glissa le message juste sur le seuil et referma la porte.

Puis elle se mit à courir, en proie à une terreur sans nom, vers Abe qui l'attendait dehors.

2

Grania avançait en silence, suivie par Abe menant un cheval avec les deux malles de la jeune fille attachées à la selle tandis qu'un autre portait une troisième malle et un panier d'osier.

Elle comprit, quand Abe indiqua le chemin à suivre, qu'il n'avait aucune envie de voyager par la route qui passait au nord de Maigrin House; c'était pourtant le chemin le plus court pour atteindre Secret Harbour.

Elle s'étonna d'abord de sa décision puis pensa qu'il avait peur sans doute de rencontrer une bande d'esclaves révoltés ou qui souhaitaient rejoindre ceux qui s'étaient déjà soulevés à Grenville.

Abe avait dit « beaucoup d'Anglais tués » et elle savait qu'une fois que les esclaves auraient commencé à piller et à tuer, il serait difficile de les apaiser.

Elle avait peur, mais moins d'eux que de Roderick Maigrin et de l'avenir que son père avait imaginé pour elle.

Elle avait l'impression, tout en chevauchant à travers la végétation luxuriante, qu'elle lui échappait, tout en sachant bien que ce sentiment ne se fondait sur aucune réalité. Mais au moins s'éloignait-elle de lui, et cela était déjà une consolation en soi.

Le sentier, à peine dessiné, longeait la mer, tournant et serpentant pour suivre les nombreuses criques et les contours accidentés de la côte.

Grania se doutait bien que par ce chemin la route serait longue mais elle n'était pas pressée.

Le paysage l'enveloppait d'une magie qui parlait à son cœur.

Les rayons de lune formaient des motifs d'argent sur le sentier et dessinaient des arabesques sur les grandes feuilles des fougères.

Ils passèrent près de cascades qui semblaient d'argent liquide, ils entrevirent la mer aux mille reflets et aux brisants de cristal.

C'était un monde que Grania connaissait et aimait. Pour le moment, elle voulait oublier le passé et l'avenir, ne penser qu'à son retour au foyer, se persuader que les esprits de la forêt la protégeaient et la guidaient.

Après plus d'une heure, le sentier déboucha à découvert et Abe vint à la hauteur du cheval de Grania.

— Qui s'est occupé de la maison pendant que tu étais en Angleterre? demanda-t-elle.

Il y eut un petit silence avant qu'il réponde :

— Joseph responsable.

Grania réfléchit un moment puis elle se rappela un grand jeune homme qui était un parent d'Abe.

— Tu es sûr que Joseph est capable de diriger la maison et les plantations?

Abe ne répondit pas et elle dut insister :

— Dis-moi ce qui s'est passé, Abe. Tu me caches quelque chose.

— Maître pas vivre Secret Harbour depuis deux ans, avoua enfin Abe.

Grania fut abasourdie.

Il ne vit pas à Secret Harbour? Mais alors où...

Elle s'interrompit. Cette question était inutile.

Elle savait très bien où son père avait vécu et pourquoi ils étaient allés chez Roderick Maigrin plutôt que de rentrer à la maison.

– Maître bien seul après le départ maîtresse, dit Abe comme s'il voulait excuser son maître.

– Je le comprends, marmonna Grania, mais pourquoi fallait-il qu'il habite chez cet homme?

– M. Maigrin, il venait voir le maître tout le temps. Et alors le maître a dit : « Je vais où il y a quelqu'un à qui parler »; et puis il est parti.

– Et tu n'es pas allé avec lui?

– Je surveillais les plantations et la maison, milady. Jusqu'à l'année dernière, le maître me fait venir.

– Comment! Tu veux dire que personne ne s'est occupé du domaine depuis plus d'un an? demanda Grania.

– Je retourne quand c'est possible, mais le maître a besoin de moi.

Grania soupira.

Elle comprenait que son père tînt Abe pour indispensable, comme autrefois sa mère, mais elle ne parvenait pas à croire qu'il ait laissé la maison et les plantations à l'abandon.

« Nous n'aurions jamais dû partir », se dit-elle.

Cependant, elle savait que c'était parce que sa mère l'avait emmenée à Londres qu'elle avait pu bénéficier d'une éducation raffinée, laquelle eût été impossible si elle était restée dans l'île. Elle lui en serait toujours reconnaissante. Elle avait appris tant de choses à Londres, et pas seulement dans les livres!

Mais elle avait la désagréable impression, aussi, que son père avait payé cette éducation au prix fort : en solitude d'abord, puis en étant forcé de rechercher la compagnie d'un individu qui avait sur lui une influence néfaste.

Cependant, il était trop tard pour les regrets et dès que son père l'aurait rejointe, ils devraient prendre une décision face à la révolte, si elle était aussi grave que semblait le craindre Abe.

Quand les îles changeaient de mains, ce qui arrivait régulièrement depuis des années, bien des planteurs perdaient leurs terres et leur fortune.

Toutefois, après les premiers débordements de joie, les esclaves découvraient invariablement qu'ils n'avaient fait que changer de maître.

« Ce n'est peut-être pas tellement sérieux », se dit-elle, essayant de s'en persuader.

Pour changer de sujet, elle dit à Abe :

— Nous avons eu de la chance lors de notre voyage de n'avoir rencontré ni navires français ni pirates. Il paraît que Will Wilken a volé des cochons et des dindons chez M. Maigrin et qu'il a égorgé un homme lors de cette expédition.

— Pirate mauvais, dit Abe, mais il n'attaque pas les grands bateaux.

— C'est vrai, reconnut Grania, mais les matelots disaient que des pirates comme Wilken s'attaquent aux petits navires de commerce et que c'est désolant pour ceux qui attendent les marchandises.

— Mauvais homme ! Cruel ! marmonna Abe.

— Will Wilken est anglais mais il paraît qu'il y a aussi un Français. Je ne crois pas qu'il était dans les parages avant mon départ pour l'Angleterre.

— Non, pas dans le temps.

Abe parlait comme à regret et Grania tourna la tête pour le regarder.

– Je crois que le Français s'appelle Beaufort. En as-tu entendu parler?

Encore une fois, Abe prit un temps avant de répondre :

– Nous prenons sentier à gauche. Milady passe devant.

Grania obéit en se demandant pourquoi Abe ne voulait pas parler du pirate français.

Quand elle était enfant, les pirates étaient pour elle des personnages passionnants, même si les esclaves tremblaient à leur seul nom et se signaient précipitamment.

Pour le comte, c'était un sujet de plaisanterie et il aimait à dire qu'ils n'étaient généralement pas aussi méchants qu'on le prétendait.

– Ils n'ont que de petits bateaux, disait-il, et ils ne sont rien de plus que de petits voleurs, prenant un cochon ici, un dindon là. Ils font rarement plus de mal que n'en faisaient les Bohémiens en Irlande, quand j'étais enfant.

Bientôt, le paysage devint plus familier. Grania reconnut des bouquets de palmiers et l'éclat rutilant des poinsettias qui, dans l'île, atteignaient plus de dix mètres.

Le clair de lune commençait à perdre de son éclat et les étoiles semblaient se fondre dans l'obscurité du ciel.

Bientôt, ce serait l'aube et déjà la jeune fille sentait la brise venir de la mer pour dissiper la lourdeur de l'air qui enveloppait les plantes tropicales.

Enfin, ils se dégagèrent de la jungle et arrivèrent aux plantations du comte.

Malgré la pénombre, elle se rendit compte à quel point elles étaient négligées. Puis elle se reprocha d'être trop critique.

Elle respirait l'odeur de la muscade, de la cannelle à laquelle se mêlait le parfum du thym.

Elle crut reconnaître aussi la forte senteur des tonkas, que son père avait choisis parce que la culture en était facile.

« Les épices de l'île », pensa-t-elle avec un sourire, certaine de distinguer les quatre-épices et les piments qu'Abe lui avait appris à connaître quand elle était petite.

Le jour se levait et, dans le ciel translucide, Grania aperçut enfin le toit de sa maison.

— Nous y sommes, Abe! s'écria-t-elle avec une joie soudaine.

— Oui, milady, mais il ne faut pas être déçue s'il y a de la poussière. Je vais faire venir les femmes pour tout nettoyer.

— Oui, bien sûr.

Grania était maintenant sûre que son père n'avait jamais eu l'intention de la ramener à la maison.

Il voulait qu'elle s'installe chez Roderick Maigrin et sans cette révolution, elle eût certainement été mariée très vite, en dépit de toutes ses protestations.

— Je ne peux pas l'épouser! murmura-t-elle.

Elle se dit que si son père revenait seul, elle tenterait de lui expliquer qu'il lui était impossible d'accepter un tel homme. Il finirait par la comprendre.

Elle adressa une petite prière à sa mère, pour lui demander son aide. Sa mère réussirait à la sauver; mais comment, elle n'en avait aucune idée.

En se rapprochant de la maison, elle vit que les volets de bois cachaient les fenêtres et que des ronces et des herbes folles avaient envahi le jardin.

32

On eût dit le château de la Belle au bois dormant.

Des bougainvilliers recouvraient les marches de la véranda et prenaient d'assaut la façade tandis que des lianes aux fleurs d'or proliféraient partout.

C'était très beau mais vaguement irréel et Grania eut un instant l'impression de rêver. Elle dut prendre sur elle pour parler calmement.

– Conduis les chevaux à l'écurie, Abe, et donne-moi la clef de la maison, si tu l'as.

– La clef du service, milady.

– Eh bien, je vais entrer par le service, dit-elle en souriant, et je commencerai par ouvrir les volets. Je suppose que tout sentira le moisi.

Elle pensait aussi, sans le dire, que des lézards devaient courir sur les murs et, pour peu qu'il y ait des fissures dans le toit, on pouvait s'attendre à ce que des oiseaux soient venus nicher dans les encoignures.

Elle espérait seulement qu'ils n'auraient pas trop endommagé les choses précieuses auxquelles sa mère tenait tant et le mobilier qu'elle avait fait venir d'Angleterre lors de son mariage.

Il y avait d'autres trésors accumulés au fil des ans, des objets achetés à des planteurs rentrant au pays, des cadeaux de leurs amis de Saint-George's et d'ailleurs.

Derrière la maison, les écuries étaient presque entièrement recouvertes de bougainvilliers et Abe dut écarter les branches aux fleurs violettes pour dégager la porte.

Grania mit pied à terre, laissant Abe s'occuper des chevaux. Elle était certaine que les esclaves ne tarderaient pas à se réveiller et viendraient aider

Abe. Pour le moment, seule la maison l'intéressait.

Elle gravit les marches et constata qu'elles avaient grand besoin de réparations et que la porte elle-même avait triste mine avec sa peinture écaillée par la chaleur.

La clef tourna facilement dans la serrure et elle entra.

Comme elle s'y attendait, la maison sentait le renfermé, mais moins qu'elle ne le craignait.

Elle traversa les pièces de service, la grande cuisine immaculée, et pénétra dans le vestibule.

Il y avait moins de poussière qu'elle ne l'avait pensé, encore qu'il fût difficile de s'en rendre compte dans la pénombre. Elle poussa la porte du grand salon.

Avec étonnement, elle découvrit que les canapés n'étaient pas protégés comme ils auraient dû l'être, que les rideaux étaient tirés et les volets ouverts.

Elle se dit qu'Abe avait été négligent de ne pas mieux veiller sur la pièce. Aucun dégât majeur cependant ne semblait à déplorer, autant qu'elle pût en juger.

Spontanément, Grania redressa le coussin d'un fauteuil, puis elle se dit qu'avant de s'occuper de la maison elle ferait bien de se changer.

Il commençait à faire chaud et son amazone, qui n'était pas d'une étoffe très légère, ne tarderait pas à devenir inconfortable. Il devait sûrement rester l'un ou l'autre vêtement de sa mère qu'elle pourrait mettre.

En partant pour Londres, la comtesse n'avait pas emporté ses robes de cotonnade, sachant qu'elle n'en aurait pas l'usage là-bas.

« Je vais passer une des robes de maman, se dit Grania, et puis je commencerai à remettre la maison en état, comme elle l'était autrefois. »

Elle quitta le salon et monta. Un assez bel escalier s'élevait en courbe gracieuse vers le premier étage dont la pièce centrale avait été spécialement décorée par la comtesse.

Grania se souvint que c'était vers cette pièce qu'elle courait enfant, chaque matin, dès qu'elle était habillée par la servante qui veillait sur elle.

Elle trouvait sa mère encore au lit, soutenue par des oreillers bordés de broderies où passaient de jolis rubans de satin assortis à ceux de ses chemises de nuit.

– Comme tu es belle, au lit, maman, on croirait que tu vas au bal, avait-elle dit un jour.

– Je veux être belle pour ton père, ma chérie. C'est un homme très séduisant et il aime qu'une femme prenne soin d'elle-même. Tu ne dois pas l'oublier.

Grania s'en était souvenue. Elle savait que son père était fier de sa fille quand il l'emmenait à Saint-George's et que ses amis la complimentaient; lorsqu'elle serait grande, déclaraient-ils, on l'appellerait la belle de Grenade!

Grania avait toujours associé son père aux choses belles et raffinées et elle se demandait maintenant comment il pouvait envisager de la donner en mariage à un homme aussi affreux, non seulement laid mais vulgaire.

Elle poussa la porte de la chambre et fut surprise de trouver ouverts les volets des grandes fenêtres.

A travers les vitres, elle apercevait les palmiers se profilant dans un ciel strié des traînées d'or de l'aube.

Un léger parfum y planait encore, celui de sa mère, c'est-à-dire celui du jasmin dont les petites fleurs blanches en étoile s'épanouissaient en toutes saisons.

Sa mère distillait elle-même le parfum qu'elle utilisait et qui, à présent, la rappelait si vivement à l'esprit de Grania que la jeune fille se tourna vers le lit comme pour l'y découvrir.

Elle resta soudain clouée sur place, croyant rêver.

Ce n'était pas sa mère qu'elle voyait sur la blancheur des oreillers, mais un homme !

Un instant, elle crut à une hallucination. Puis, tandis que la lumière du jour devenait plus vive, elle dut se rendre à l'évidence : c'était bien une tête d'homme qui reposait sur les oreillers.

Elle le regarda fixement, sans savoir si elle devait fuir ou rester.

Puis, comme si dans son sommeil il avait senti une présence, l'homme se retourna et ouvrit les yeux. Ils se dévisagèrent tous deux.

« Il est beau... séduisant même », pensa-t-elle, trouvant ce mot plus juste.

Ses cheveux noirs dégageaient un grand front carré, il avait les joues rasées, des traits accusés mais harmonieux et des yeux noirs qui ne la quittaient pas.

Son expression changea et un sourire apparut sur ses lèvres.

– Qui êtes-vous ? Que faites-vous ici ? demanda Grania.

– Je vous demande pardon, mademoiselle, dit l'homme en se redressant, mais pour ma part je ne vous demanderai pas qui vous êtes car votre portrait orne le mur qui me fait face.

Sans le vouloir, Grania se tourna vers le mur où, au-dessus d'une commode, il y avait un portrait de sa mère peint lors de ses fiançailles.

– C'est ma mère, dit-elle. Que faites-vous dans son lit ?

Lorsqu'il avait parlé, elle s'était rendu compte que l'inconnu n'était pas anglais. Une petite exclamation lui échappa.

– Vous êtes français!

– Oui, mademoiselle, je suis français, et je ne puis que vous prier de m'excuser d'occuper la chambre de votre mère, mais la maison semblait abandonnée.

– Je sais, mais vous n'aviez pas le droit. C'est... c'est une intrusion. Et je ne comprends pas...

Elle s'interrompit et reprit haleine avant de lancer :

– Je crois avoir entendu parler de vous...

L'homme fit un petit geste.

– Je puis vous assurer que je ne suis pas fameux, mais plutôt infâme, dit-il jouant avec les mots. Beaufort, à votre service.

– Le pirate!

– Lui-même, mademoiselle! Et un pirate fort contrit, si ma présence ici vous bouleverse.

– Naturellement qu'elle me bouleverse! s'écria Grania. Comme je l'ai dit, vous n'aviez pas le droit de vous introduire ici sous le prétexte que nous étions absents.

– Je savais la maison vide depuis longtemps et je vous avouerai que personne ne s'attendait à ce que vous veniez ici à votre retour à Grenade.

Un silence tomba. Puis Grania bredouilla :

– Vous... vous parlez comme si vous saviez que... que j'allais revenir dans l'île.

Le pirate sourit et ce sourire non seulement le rajeunit mais donna à son expression quelque chose de malicieux.

– Je crois bien que tout le monde était au courant. Les potins sont portés par le vent et le chant des oiseaux.

– Alors vous saviez que mon père était allé en Angleterre?

– Bien sûr, je le savais, et que vous lui aviez écrit pour lui demander de venir parce que votre mère était souffrante. J'espère qu'elle va mieux?

– Elle... elle est morte.

– Mes sincères condoléances, mademoiselle.

Soudain, Grania se rendit compte qu'elle dialoguait avec un pirate, lequel était couché dans le lit de sa mère, et nu sans doute si l'on en jugeait par ses épaules sur lesquelles le drap avait glissé.

Elle esquissait un mouvement vers la porte quand l'homme reprit la parole :

– Si vous me permettez de m'habiller, mademoiselle, je descendrai et vous expliquerai ma présence, et je vous renouvellerai mes excuses avant de partir.

– Merci, murmura Grania et elle sortit de la chambre en fermant la porte.

Une fois sur le palier, elle s'arrêta un moment en se disant qu'elle devait sûrement rêver. Comment était-il possible qu'en rentrant chez elle elle trouve un pirate installé dans la maison, et qui plus est un pirate français?

Elle aurait dû être doublement terrifiée : non seulement un pirate mais encore un Français!

Pourtant, inexplicablement, elle n'avait pas peur de lui.

Elle avait le sentiment que si elle lui demandait de partir il lui obéirait immédiatement, s'assurant simplement avant de prendre congé qu'elle acceptait ses excuses d'avoir pénétré dans la maison en son absence.

« Cette conduite est intolérable! » se dit-elle mais sans colère.

Elle se rendit dans sa chambre et la trouva dans

l'état où elle s'était attendue à trouver toute la maison. Quand elle ouvrit les volets, elle découvrit une épaisse couche de poussière sur le plancher, les meubles, le couvre-lit.

Deux petits lézards s'enfuirent derrière les rideaux à son arrivée et l'odeur de renfermé la prit à la gorge, avant qu'elle ouvre les fenêtres.

Quand elle regarda dans l'armoire, elle comprit qu'elle ne pourrait porter aucune des robes légères qui s'y trouvaient. Elle avait grandi depuis trois ans, et s'il était encore très svelte son corps n'était plus aujourd'hui celui d'une enfant.

« Je dois rester vêtue comme je suis », se dit-elle avec irritation.

Comme elle n'avait plus rien à faire dans sa chambre, elle redescendit. En arrivant dans le hall, elle entendit des voix venant de la cuisine et pensa préférable d'avertir Abe qu'il y avait un intrus dans la maison.

Alors qu'elle se dirigeait vers la cuisine, elle perçut une voix d'homme, disant en mauvais anglais :

– Nous ne vous attendions pas. Je vais réveiller monsieur.

– Bonne idée, répliqua Abe, avant que milady le voie.

Grania entra dans la cuisine.

Près d'Abe, il y avait un homme à la peau claire. Il était petit, très brun de cheveux, et elle se dit qu'en quelque endroit qu'elle l'eût rencontré, elle aurait tout de suite deviné ses origines françaises.

Il sembla surpris de son apparition et aussi un peu effrayé.

– J'ai déjà parlé à votre maître, lui dit-elle. Il s'habille et il va descendre me présenter ses excuses avant de partir.

Le petit Français parut soulagé et s'approcha de la table de la cuisine où Grania vit un plateau où étaient disposées une cafetière et une tasse. Elle pensa que le valet du Français lui avait préparé son petit déjeuner et, avec un léger sourire, elle lui dit :

– L'hospitalité m'oblige à permettre à votre maître de boire un café avant de partir. Où le prend-il généralement ?

– Sur la véranda, mademoiselle.

– Très bien. Apportez le plateau là-bas. Et moi aussi, Abe, je prendrai volontiers une tasse de café.

Laissant les deux hommes médusés, elle retourna dans le vestibule. Comme elle s'y attendait un peu, la porte d'entrée n'était pas verrouillée et elle devina que c'était par là que le Français pénétrait dans la maison.

Elle sortit sur la véranda. A présent, au delà des palmiers, elle distinguait le sommet de deux mâts.

La baie et le domaine méritaient bien leur nom. On y pénétrait par le côté et une longue langue de terre couverte de pinèdes faisait face au large. Une fois au mouillage dans la rade, un navire devenait pour ainsi dire invisible, de la terre comme de la mer. A moins d'être au courant de sa présence, on pouvait passer et repasser dix fois sans se douter qu'il y avait un vaisseau dans la baie.

« J'aimerais bien voir ce bateau », pensa Grania, puis elle se reprocha sa curiosité.

Elle savait qu'elle aurait dû être choquée, fâchée. N'était-il pas insultant pour elle qu'un pirate ait osé se servir de sa maison ? Pourtant elle n'éprouvait aucun de ces sentiments, ce qui la surprit beaucoup.

Lorsque Beaufort la rejoignit quelques minutes

plus tard, elle ne put s'empêcher de penser qu'il aurait été plus à sa place dans les salons et les salles de bal de Londres.

Il était trop élégant et soigné dans sa mise pour cette véranda envahie de lianes folles.

Une table et deux fauteuils en rotin y étaient disposés et avant que le Français ait ouvert la bouche, son valet, Abe et les serviteurs apparurent. Ils couvrirent la table d'une nappe blanche, puis ils y disposèrent le plateau avec la cafetière et deux tasses. Grania remarqua que c'était le beau service de sa mère. Le café embaumait. Les serviteurs avaient aussi apporté des croissants chauds, juste sortis du four, du beurre et une coupelle de miel.

— Le petit déjeuner est servi, monsieur, annonça le valet du Français, puis il disparut avec Abe et les autres serviteurs.

Grania regarda l'intrus. Il parut sur le point de parler mais, soudain, elle éclata de rire.

— Je ne puis croire à tout cela, dit-elle. Vous êtes réellement un pirate?

— Je vous assure que je le suis.

— Mais j'ai toujours imaginé qu'ils étaient sales, méchants, qu'ils juraient grossièrement, qu'ils terrorisaient les femmes.

— Vous pensiez à un de vos compatriotes, Wilken.

— Nous avons de la chance qu'il n'ait pas découvert Secret Harbour. J'ai appris hier soir qu'il se livrait au pillage, plus au sud, le long de la côte.

— J'ai entendu bien des choses à son propos, répliqua le Français, mais puis-je vous rappeler que le café attend?

— Ah oui, bien sûr.

Spontanément, Grania s'assit face au plateau et comme il s'installait à son tour, elle demanda :

– Voulez-vous que je verse votre café, ou préfé-rez-vous le faire vous-même?

– Je serais honoré d'être servi pas vos blanches mains.

Elle essaya de lui sourire mais il avait un je-ne-sais-quoi qui l'intimidait un peu. Elle lui tendit sa tasse après l'avoir remplie.

– Vous avez dû apporter vos croissants avec vous, dit-elle.

– Mon valet, oui. Nous en faisons tous les jours.

Grania rit tout bas.

– Ainsi, même un pirate, s'il est français, se soucie de ce qu'il mange?

– Mais naturellement! La cuisine est un art et mon plus grand malheur, comme je suis presque toujours en mer, c'est de manger ce qui se présente au lieu de me procurer ce qui me plaît.

Grania rit encore, puis elle demanda:

– Pourquoi êtes-vous pirate? Il me semble que c'est... mais peut-être suis-je impertinente... une sin-gulière occupation pour vous.

– C'est une longue histoire, mais puis-je me per-mettre de vous demander d'abord pourquoi vous êtes ici et où se trouve votre père?

– Je suis ici, expliqua Grania, parce qu'une révo-lution a éclaté à Grenville.

Le Français sursauta et la regarda fixement.

– Une révolution?

– Oui. Elle a commencé il y a plusieurs jours mais nous ne sommes arrivés qu'hier soir chez M. Mai-grin. Au milieu de la nuit, Abe a appris que les révolutionnaires avaient pris Grenville et massacré beaucoup d'Anglais.

– Ce n'est pas possible, murmura le Français comme s'il se parlait à lui-même. Mais s'il y a vraiment une révolution, elle a dû être fomentée par Julius Fédor.

– Comment le savez-vous?

– J'ai entendu dire qu'il prêchait la sédition parmi les esclaves français.

– Vous croyez donc que cette révolte est sérieuse?

– J'en ai bien peur.

– Vous souhaitez cependant, j'imagine, que les Français redeviennent maîtres de l'île, comme ils l'étaient il y a douze ans?

Il secoua la tête.

– Si les Français reprennent l'île, ce sera avec des navires et des soldats et non par une révolte d'esclaves. Peut-être y réussiront-ils pendant un certain temps mais les Anglais reviendront à l'attaque et beaucoup de sang coulera.

Grania soupira.

Tout cela lui paraissait vain et assez effrayant.

Le Français se leva.

– Voulez-vous m'excuser un instant. Je voudrais dire un mot à mon valet. Il faut qu'il se renseigne pour savoir s'il y a du danger pour vous.

Il s'éloigna et Grania le suivit des yeux.

Elle ne put s'empêcher d'être frappée par le contraste entre la grâce souple de son allure et la démarche lourde et mal assurée de Roderick Maigrin.

Ses cheveux noirs étaient tirés en arrière et retenus par un nœud de taffetas et sa cravate était immaculée. Les pointes de son col empesé étaient relevées très au-dessus du menton, à la manière des beaux messieurs de Saint-James.

Sa culotte de fine toile blanche révélait des hanches étroites et ses bas blancs, comme ses souliers à boucle d'argent, étaient d'une parfaite élégance.

« C'est un gentilhomme! se dit-elle. C'est ridicule de le traiter de pirate... de hors-la-loi des mers! »

Le Français revint.

– Mon valet et le vôtre envoient des gens pour savoir avec précision où en est la révolution. Mais Abe m'assure que les renseignements reçus cette nuit et ce matin à l'aube sont dignes de foi. Il ne fait aucun doute que les rebelles se sont emparés de Grenville.

Grania laissa échapper un petit murmure et il poursuivit :

– Comme d'habitude, ils ont pillé les entrepôts, traîné les habitants terrifiés dans la rue et les ont massacrés.

– Oh non! s'exclama Grania.

– Certains se sont enfuis en nageant jusqu'aux vaisseaux mouillés dans la rade. D'autres sont partis vers le sud et quelques-uns sont arrivés jusqu'au domaine de Maigrin.

– Pensez-vous que... que tous les esclaves de l'île vont se soulever et se joindre à eux? demanda Grania à voix basse.

– Nous ne pouvons qu'attendre. Si les choses en viennent au pire, mademoiselle, mon navire est à votre disposition.

– Croyez-vous que ce soit un endroit sûr pour se cacher?

Le Français sourit.

– Cela pourrait être un cas de... « n'importe quel port dans la tempête », comme on dit.

– Oui, naturellement, mais j'espérais que mon père me rejoindrait aujourd'hui, peut-être aura-t-il l'idée d'un refuge sûr.

– Naturellement, reconnut Beaufort, et je pense que votre père et vous, et sans aucun doute M. Maigrin, seriez accueillis de grand cœur au fort de Saint-George's.

Grania ne put maîtriser un mouvement d'angoisse quand il prononça le nom de Roderick Maigrin.

Au lieu de répondre, elle mangea en silence le délicieux croissant qu'elle avait garni de miel. Un silence tomba. Puis le Français le rompit :

– On m'a dit, mais bien sûr c'est peut-être faux, que vous alliez épouser M. Maigrin.

– Qui vous l'a dit ?

Beaufort fit un geste vague.

– J'ai appris que la décision avait été prise avant que votre père aille vous chercher en Angleterre.

L'idée vint subitement à Grania que même si sa mère n'était pas morte, son père aurait fait valoir ses droits et l'aurait ramenée à Grenade.

Puis elle pensa à Roderick Maigrin et frissonna d'horreur une fois encore.

Spontanément, sans vraiment réfléchir à ce qu'elle disait, elle demanda :

– Que puis-je faire ?... Comment m'échapper ? Je ne peux pas épouser ce... cet homme !

Il y avait de la terreur dans sa voix et elle s'aperçut que le Français la dévisageait avec une singulière intensité.

Puis il répondit :

– Je reconnais qu'une jeune fille comme vous ne peut épouser un tel homme mais ce n'est pas à moi de dire comment vous pouvez éviter ce mariage.

– Alors... à qui d'autre puis-je le demander ? murmura Grania, un peu comme une enfant. Je ne savais pas, jusqu'à notre arrivée, quelles étaient les intentions de papa et maintenant... maintenant que je suis ici, je ne sais que faire... ni où je puis me cacher de... de lui.

Le Français posa brusquement son couteau, qui tinta contre l'assiette.

– C'est vous que cela regarde, mademoiselle, et comme vous vous en doutez, je ne puis intervenir.

Grania soupira.

– Non, bien sûr... Je n'aurais pas dû parler comme je l'ai fait... Pardonnez-moi.

– Il n'y a rien à pardonner. Je voudrais pouvoir vous aider mais je suis un ennemi, et même un hors-la-loi.

– Peut-être... Et moi aussi je devrais peut-être me mettre hors la loi... Alors M. Maigrin ne voudrait plus m'épouser.

Tandis qu'elle parlait, elle savait qu'elle ne disait pas la vérité et que Maigrin la désirait, sans se soucier aucunement de son rang ou de sa position sociale.

Elle revit la lueur dans les petits yeux avides et frissonna.

Elle avait peur, horriblement peur, non de la révolution ni de la mort, mais d'être étreinte par cet homme foncièrement mauvais et dont la présence seule l'écœurait jusqu'à la nausée.

Son visage devait être bien expressif car soudain le Français demanda d'une voix dure :

– Pourquoi n'êtes-vous pas restée en Angleterre où vous ne risquiez rien ?

– Comment le pouvais-je après la mort de maman ? Je connaissais très peu de monde et d'ailleurs... papa aurait... aurait insisté pour me ramener, quoi que je puisse dire.

– Il est dommage que vous n'ayez pas trouvé quelqu'un pour vous épouser, quand vous étiez là-bas.

– Je crois que c'est ce que maman voulait, avoua

Grania. Elle avait l'intention de me présenter au roi et à la reine, afin que je puisse être invité à des bals et à des réceptions. Elle avait fait beaucoup de projets pour moi, mais elle est tombée malade... si terriblement malade, avant Noël.

Elle s'interrompit un moment et reprit :

– Le temps était froid, il y avait du brouillard, et maman avait vécu si longtemps au soleil que le médecin a dit que... qu'elle n'avait plus de résistance, qu'elle était trop faible pour supporter le climat anglais.

– Je comprends, murmura le Français. Mais pourquoi ne pas dire à votre père que vous ne souhaitez nullement épouser cet homme ?

– Je le lui ai dit, mais il a répondu que tout était arrangé et que M. Maigrin... était très riche.

Elle eut l'impression, en avouant cela, d'être déloyale, mais elle savait bien que c'était là la véritable raison qu'avait son père de tenir si vivement à ce mariage.

Roderick Maigrin était riche, il pourrait entretenir le comte sur un grand pied, et le seul moyen qu'avait son père de parvenir à ses fins était de donner sa fille en échange.

– C'est une situation intolérable! déclara brusquement le Français, sur un ton qui fit sursauter Grania.

– Mais... mais que puis-je y faire ?

– Quand j'étais là-haut et regardais le portrait de votre mère, dit-il à voix basse, je pensais qu'il était impossible d'imaginer femme plus ravissante, plus fine et plus séduisante. Mais à présent que je vous vois je sais que si vous ressemblez à votre mère il y a en vous, peut-être parce que vous êtes vivante, quelque chose de plus que l'artiste n'a su exprimer.

47

– Quoi donc? demanda-t-elle avec curiosité.

– Je crois que le mot le plus juste serait la spiritualité, mademoiselle, une chose que personne ne peut capter sur la toile, sauf peut-être Michel-Ange ou Botticelli.

– Merci, murmura-t-elle.

– Je ne vous fais pas un compliment, je constate un fait, et c'est pourquoi je tiens pour impossible que vous épousiez un homme comme Maigrin. Je ne l'ai vu qu'une fois mais j'ai beaucoup entendu parler de lui et je puis affirmer, en toute sincérité, que mieux vaut mourir que d'être sa femme.

Grania joignit les mains.

– C'est ce que je ressens! Mais je sais que papa refusera de m'écouter... et quand il viendra ici, je serai forcée de lui obéir, quelles que soient mes supplications.

Le Français se leva et alla s'appuyer contre la balustrade de la véranda.

Grania crut qu'il regardait son navire et pensa qu'il lui serait facile de se glisser hors de la rade et de gagner le large. Là il serait libre, laissant derrière lui les difficultés et les troubles de l'île, ainsi que les problèmes personnels d'une jeune fille.

A le regarder ainsi, elle eut le sentiment qu'au lieu d'un navire, c'eût été un phaéton qui aurait dû l'attendre. Un phaéton tiré par deux chevaux splendides et dans lequel ils iraient ensemble se promener sous les ombrages de Hyde Park.

Alors il n'y aurait plus que les badinages mondains et les rires de la haute société de Londres, et l'on ne parlerait ni de révolution, ni de sang versé, ni de son mariage avec Roderick Maigrin.

Elle pensa, mais naturellement c'était absurde, que le Français représentait pour elle la sécurité dans un monde devenu soudain terrifiant, dans lequel elle se trouvait sans défense.

– A quelle heure espérez-vous voir arriver votre père? demanda-t-il enfin.

– Je... je n'en ai pas la moindre idée, répondit-elle en hésitant. Quand je suis partie ce matin avant l'aube... ils avaient beaucoup bu... toute la nuit et... et ils ne s'étaient pas couchés.

Le Français hocha la tête comme si cela ne l'étonnait pas puis il dit :

– Alors nous avons le temps. Pour le moment, je vous conseille de ne pas vous inquiéter de votre avenir et, si cela vous plaît, je pourrais vous faire visiter mon navire.

– C'est vrai?

– Ce serait un honneur pour moi.

– Dans ce cas... me permettez-vous d'aller me changer? Il va bientôt faire très chaud.

– Mais naturellement!

Grania traversa la véranda et monta en courant.

Comme elle s'y attendait, Abe avait déjà transporté ses malles dans la chambre de sa mère.

Pour le moment, elle ne souhaitait qu'une robe dans laquelle, bien qu'elle ne voulût pas se l'avouer, elle serait aussi jolie que possible.

Rapidement, elle tira d'une malle une de ses élégantes toilettes achetées à Londres.

Elle l'avait portée l'année dernière mais la jupe ample était encore à la mode et le fichu, à peine froissé par le voyage, était frais et pimpant.

Il ne fallut que quelques minutes à la jeune fille pour ôter sa tenue de voyage et faire sa toilette. Elle ne fut pas surprise de trouver une aiguière pleine d'eau fraîche.

Puis elle passa sa robe légère et se hâta de descendre.

Le pirate l'attendait sur la véranda. Il avait installé son fauteuil au soleil. Elle comprit alors pourquoi il avait le teint si mat. Contrairement aux « Beaux » de Londres, il ne redoutait pas de brunir.

Cela lui allait bien et elle se dit que, curieusement, c'était sans doute à cause de ce teint bronzé qu'elle n'avait pas été choquée en le voyant nu dans le lit.

Il se leva à son arrivée et elle surprit sur son visage une expression admirative. Il sourit en la détaillant, mais d'une manière bien différente de celle de Roderick Maigrin la veille, dont le regard avait paru la déshabiller.

— Aimeriez-vous que je vous dise que vous êtes absolument ravissante et que vous ressemblez à l'Esprit du Printemps? murmura le Français.

— Cela me fait grand plaisir de vous l'entendre dire, répliqua Grania.

— Mais vous avez, j'imagine, entendu tant de compliments, à Londres, que vous devez en être lasse.

— Les seuls compliments que j'ai reçus étaient pour mon travail à l'école, et de la part d'un ou deux gentilshommes qui venaient chercher ma mère pour la conduire au bal ou à Vauxhall.

— Vous étiez trop jeune pour devenir une « Belle » de la haute société?

— Bien trop jeune! Et maintenant, je doute d'en devenir jamais une.

— Vous le regrettez?

— Je suis un peu déçue, oui. Maman me décrivait si souvent les bals et les réceptions auxquels j'assisterais et j'en rêvais.

– Je vous assure qu'il y a d'autres choses à faire de par le monde et qui sont infiniment plus passionnantes.

– Alors vous devrez m'en parler, répliqua Grania, pour compenser tout ce que j'ai manqué.

– Peut-être est-ce justement ce que je ne devrais pas faire, riposta-t-il d'un ton énigmatique.

Avant qu'elle ait pu lui demander de s'expliquer, il reprit :

– Venez. Dépêchons-nous d'aller visiter mon bateau, au cas où votre père arriverait plus tôt que prévu.

Comme si elle avait peur que cela ne se produise, elle se hâta de descendre avec lui les marches de la véranda.

Ils traversèrent le jardin à l'abandon et se retrouvèrent sous les pins.

Une brise légère balançait les branches. Bientôt, Grania découvrit le navire.

Elle voyait maintenant la dunette, le gaillard d'avant et les grands mâts. Les voiles étaient carguées mais elle eut le sentiment qu'elles pourraient être hissées très vite.

Alors le navire lèverait l'ancre et elle serait abandonnée sur le rivage. Elle ne le reverrait jamais plus.

Devant eux, une longue jetée étroite traversait la rade. Le navire était amarré à l'extrémité de la jetée.

Le Français et Grania avancèrent sur les planches inégales mais, quand ils arrivèrent à la passerelle, il s'arrêta.

– Vous n'avez pas peur? Il n'y a pas de garde-fou.

– Non, bien sûr que non, répondit-elle en souriant.

– Laissez-moi passer le premier afin que je vous aide à monter à bord. Ce sera un honneur pour moi.

Il y eut quelque chose, dans sa façon de prononcer les derniers mots, qui intimida la jeune fille.

Il lui tendit la main. Au moment où elle l'effleura, elle sentit passer dans ses doigts une étrange vibration – jamais encore éprouvée.

Le navire était un enchantement. Le pont avait été briqué, la peinture semblait toute fraîche, des hommes s'activaient aux cordages. Ils n'interrompirent pas leur travail mais elle eut l'impression que tous l'observaient, alors qu'elle marchait à côté de leur capitaine.

Il l'aida à descendre quelques marches et ouvrit une porte donnant sur la cabine de l'arrière.

Le soleil qui filtrait par de grands hublots dessinait des motifs éclatants sur les parois de bois.

Grania avait toujours pensé qu'un vaisseau pirate ne pouvait qu'être sale et négligé. Dans les histoires qu'elle avait lues, la chambre du capitaine était un trou noir, plein de sabres d'abordage et de bouteilles vides.

Cette cabine-ci ressemblait à la chambre d'une maison raffinée, avec des fauteuils confortables et, dans un coin, un lit à colonnes aux rideaux tirés.

Tout était d'une exquise propreté et elle crut sentir une odeur de cire et de lavande.

Il y avait un tapis, des sièges capitonnés et, sur la table, un vase de fleurs qui avaient dû être cueillies, pensa-t-elle, dans le jardin de sa mère.

Elle regardait autour d'elle avec admiration quand elle s'aperçut que le Français l'observait en souriant.

– Eh bien? demanda-t-il.

– C'est très joli et très confortable.

– C'est mon foyer, désormais, murmura-t-il. Et de même qu'un Français apprécie la bonne cuisine, il aime son confort.

– Mais vous êtes toujours en danger! Si vous êtes repéré par les Anglais ou les Français, ils essayeront de vous couler ou de vous capturer et si vous êtes pris... vous mourrez!

– Je n'oublie pas. En fait, je trouve le danger excitant mais je puis vous assurer, bien que cela puisse paraître contradictoire, que je ne prends jamais de risques inutiles.

– Alors pourquoi...

Grania se reprit, consciente encore une fois d'être trop curieuse et de se mêler des affaires personnelles de cet homme.

– Venez vous asseoir, dit-il. Je veux vous voir à l'aise dans cette chambre. Ainsi quand vous serez partie, je pourrai vous y revoir par la pensée.

Il parlait d'une voix neutre et pourtant Grania se sentit rougir.

Docilement, elle alla s'asseoir dans un des fauteuils. La lumière tombant des hublots nimbait ses cheveux d'un halo d'or.

Comme il était très tôt, elle n'avait ni chapeau ni ombrelle. Elle se sentait bien d'être assise dans cette petite pièce, en conversation avec un homme plus séduisant que tous ceux qu'elle avait vus à Londres.

– Pourquoi vous appelle-t-on Beaufort? demanda-t-elle quand le silence devint gênant.

– Parce que c'est mon nom, mon nom de baptême, et il me tient lieu de surnom dans la mesure où je ne peux me servir de mon véritable nom.

– Pourquoi?

– Parce que ce serait malséant. Mes ancêtres se

retourneraient dans leur tombe. Et puis j'espère retrouver un jour ma place, dans mon pays.

– Vous ne pouvez pas rentrer en France, dit-elle vivement en se rappelant les troubles de la Révolution.

– Je le sais bien, mais ce n'est pas là ma vraie place, du moins pas depuis ma tendre enfance.

– Où alors? Mais peut-être est-ce une question que je ne dois pas poser?

– Lorsque nous bavardons ainsi, ne pouvons-nous nous poser mutuellement toutes les questions que nous voulons? Et comme votre intérêt m'honore, je vous dirai que je viens de la Martinique, où j'ai une plantation, et que mon vrai nom est Vence, Beaufort Vence.

– C'est un joli nom.

– Il y a eu des comtes de Vence en France, depuis des siècles. Ils font partie de l'Histoire de ce pays.

– Vous êtes comte?

– Comme mon père est mort, le titre me revient.

– Mais vous êtes de la Martinique?

– Je l'étais!

Grania le regarda avec perplexité, puis elle poussa un petit cri.

– Vous vous êtes réfugié ici! Les Anglais ont pris la Martinique l'année dernière.

– Précisément, dit le comte. Je serais certainement mort si je ne m'étais pas enfui avant qu'ils s'emparent de ma plantation.

– C'est pour cela que vous êtes devenu un pirate!

– C'est pour cela que je me suis fait pirate, et je le resterai jusqu'à ce que les Anglais soient chassés, ce qui arrivera un jour ou l'autre. Je pourrai alors reprendre possession de mes biens.

Grania soupira.

– Il y a toujours tant de combats dans ces îles, et les pertes en vies humaines sont terribles!

– J'y ai souvent songé, avoua le comte, mais au moins, pour le moment, je suis ici en sécurité.

Grania resta silencieuse.

Elle pensait que s'il était en sécurité, elle, au contraire, était en très grand danger : il y avait les révoltés et, plus effroyable encore, Roderick Maigrin.

3

En examinant la cabine, Grania remarqua un grand nombre de livres, ce qui ne la surprit pas outre mesure.

Les rayonnages avaient été habilement ménagés dans les boiseries et, s'il n'y avait pas de portes vitrées, des barres transversales maintenaient les ouvrages en place, afin qu'ils ne tombent pas quand le navire rencontrait du gros temps.

Le comte, après l'avoir observée, dit en souriant :

— Je sens que vous aussi, vous aimez la lecture.

— Il a bien fallu que j'apprenne le monde dans les livres, avant d'aller à Londres. Et puis juste au moment où j'allais enfin le découvrir moi-même, j'ai dû rentrer.

— Peut-être auriez-vous découvert que ce monde, qui fascine et éblouit tant de femmes, est bien décevant.

— Pourquoi pensez-vous cela ?

— Parce que j'ai l'impression, et je ne crois pas me tromper, que vous cherchez quelque chose de plus profond et de plus passionnant que ce qu'offre la vie mondaine où ne retentissent que rires cristallins et tintements de verres.

Grania s'étonna et répliqua:

— Peut-être avez-vous raison, mais maman m'a toujours dépeint cette vie sous un aspect si délicieux que j'avais hâte de faire mes débuts dans le monde, de rencontrer des personnages qui ne seront plus pour moi, maintenant, que des noms dans les gazettes et les livres d'histoire.

— Vous ne serez donc pas déçue par la réalité.

Grania haussa les sourcils.

— Et vous l'avez été?

— Pas vraiment, reconnut-il, mais il faut dire que j'ai eu la chance de connaître Paris avant la Révolution et que j'ai aussi vécu à Londres.

— Et vous avez aimé Londres?

— Quand j'étais jeune, je trouvais cette ville fascinante, mais je savais que ma vraie place était ici, dans les îles.

— Vous aimez beaucoup la Martinique.

— C'était mon foyer, et elle le redeviendra.

Il parlait avec émotion et la jeune fille murmura:

— Je vais prier pour qu'elle vous soit rendue.

Un sourire éclaira les traits du comte.

— Merci. Je suis prêt à croire, mademoiselle, que toutes vos prières sont entendues.

— Sauf celles que je fais pour moi-même, dit Grania.

Puis elle pensa qu'elle était sans doute injuste. La veille elle avait prié pour échapper à Roderick Maigrin, et pour le moment elle semblait exaucée.

Il lui restait peut-être encore une chance, une fois seule avec son père, de le persuader qu'un tel mariage serait trop intolérable pour qu'il le lui infligeât.

Après tout, il l'avait aimée quand elle était petite fille — cela ne faisait aucun doute — et elle était sûre que c'était parce que sa mère et elle étaient parties qu'il était totalement tombé sous la coupe de M. Maigrin, au point d'acquiescer à tout ce que suggérait cet homme.

Les expressions qui se succédèrent sur son visage furent plus révélatrices qu'elle ne le croyait et elle eut l'impression que le comte lisait dans ses pensées quand il dit :

– Vous êtes adorable, mademoiselle, et je ne puis croire que votre père refuse d'écouter vos supplications.

– Je vais essayer... J'essaierai très fort.

Il se leva et s'approcha d'un des hublots.

– Je crois que vous devriez rentrer, maintenant. Si votre père arrive et ne vous trouve pas, il sera très choqué d'apprendre que vous êtes en compagnie d'un individu comme moi.

– Je suis sûre que si vous faisiez la connaissance de papa dans d'autres circonstances, vous vous plairiez tous deux.

– Les circonstances étant ce qu'elles sont, nous devons nous tenir à distance, déclara fermement Beaufort.

Il se dirigea vers la porte de la cabine et Grania ne put que quitter son fauteuil.

Elle avait le curieux sentiment d'abandonner la sécurité pour le danger, mais elle ne pouvait exprimer cela clairement. Elle suivit le comte sur le pont.

Les matelots l'observèrent du coin de l'œil quand elle s'approcha de la coupée.

Comme ils étaient français, elle était certaine qu'ils appréciaient sa grâce, et elle se dit que c'était là de l'impertinence : c'étaient des hors-la-loi, des pirates, qui auraient dû, au contraire, craindre qu'elle ne les trahisse.

Une fois encore, leur capitaine dut lire dans les pensées de Grania car il murmura, quand ils furent à terre :

— J'espère avoir un jour l'honneur de vous présenter mes amis, car c'est bien cc qu'est mon équipage, des amis qui ne souhaitaient nullement devenir des proscrits mais qui y ont été forcés par vos compatriotes.

Le ton était tel que Grania eut honte.

— Je regrette bien que... qui que ce soit ait été victime de la guerre et je les plains, mais ceux qui vivent dans ces îles semblent ne rien connaître d'autre que la souffrance.

— C'est vrai, reconnut le comte, ce sont toujours les innocents qui souffrent.

Ils s'engagèrent sous les arbres et marchèrent en silence jusqu'à ce que la maison leur apparaisse.

— Je vais vous laisser ici, dit alors le comte.

— Je vous en prie... ne partez pas! s'exclama impulsivement Grania.

Il la considéra avec étonnement et elle expliqua :

— Nous ne savons pas encore ce qu'Abe et votre valet ont appris sur les révoltés. Et s'ils étaient en route pour venir ici? Je ne pourrais leur échapper que si vous m'emmeniez à votre bord.

Tout en parlant, elle s'avouait qu'elle avait beaucoup moins peur des rebelles que de voir s'éloigner le comte.

Elle voulait rester auprès de lui, lui parler et, surtout, elle voulait qu'il la protège de Roderick Maigrin.

— Si les révolutionnaires arrivent jusqu'ici, dit-il, je doute qu'un pirate lui-même soit en sécurité.

— Vous voulez dire qu'ils vous considéreront comme un aristocrate?

– Précisément. La raison pour laquelle Fédor a fomenté cette révolte, c'est qu'il s'est rendu à la Guadeloupe qui a en quelque sorte importé la Révolution française aux Antilles.

– C'est vrai? s'étonna Grania.

– Il paraît que Fédor a été nommé officiellement commandant général des insurgés de Grenade.

– Vous voulez dire que cette révolte est un projet de longue date?

Le comte hocha la tête.

– Ils ont des armes et des munitions, des bonnets phrygiens, des cocardes nationales et un drapeau qui porte la devise « Liberté, Egalité ou la Mort ».

Grania poussa un petit cri étouffé.

– Et les Anglais ne savent rien de cela?

Il haussa légèrement les épaules, et elle comprit sans qu'il ait besoin d'en dire plus que les Anglais de Saint-George's se complaisaient dans un optimisme béat et qu'ils étaient bien trop à leurs plaisirs pour prévoir un soulèvement.

Il lui parut extraordinaire qu'ils eussent été pris par surprise, alors que le comte était si bien renseigné.

En même temps, elle n'ignorait pas qu'à Grenade on était souvent au courant de ce qui se passait dans d'autres îles avant que ces îles le sachent elles-mêmes.

Comme l'avait dit le comte, les oiseaux portaient les rumeurs à travers la mer bleue, et le fait qu'il y eût des Français sous la botte anglaise et réciproquement ne pouvait qu'encourager les esclaves qui projetaient de se révolter dès qu'une occasion favorable se présenterait.

Grania et le comte traversèrent la partie du jardin jadis cultivée et qui n'était qu'un flamboiement de couleurs et de fleurs.

Il y avait de petits massifs de fleurs d'Angleterre que la mère de la jeune fille avait tenté d'acclimater et qui, par leur profusion, devenaient partie intégrante du paysage tropical.

Quand ils arrivèrent devant la maison, le silence les accueillit et Grania comprit aussitôt que son père n'était pas de retour.

Elle entra dans le vestibule, suivie par Beaufort, et se dirigea tout de suite vers la cuisine qu'elle trouva déserte.

– Abe et votre valet ne sont pas revenus, constata-t-elle.

– Dans ce cas, je propose que nous les attendions à l'ombre. Il fera plus frais que partout ailleurs dans le grand salon.

– Je me suis demandé, en arrivant ici ce matin, pourquoi il n'y avait pas de housses sur les meubles. Vous vous y êtes tenu souvent?

– A l'occasion, reconnut le comte. Cette pièce me fait penser à la maison de mon enfance, et aussi à ma propriété de la Martinique, qui est très belle. J'aimerais vous la faire visiter un jour.

– Cela me ferait plaisir, dit Grania avec simplicité.

Leurs regards se croisèrent et elle baissa timidement les yeux.

– Peut-être devrais-je vous offrir une tasse de café?

– Je ne veux rien, répondit-il, sinon vous parler et vous écouter. Asseyez-vous, mademoiselle, et racontez-moi l'histoire de votre vie.

Cela fit rire Grania.

– Il y a bien peu à raconter que vous ne sachiez déjà. Je préfère vous entendre parler de vous.

– Ce serait fort ennuyeux pour moi et comme

vous êtes la maîtresse de maison, vous devez être généreuse envers vos invités.

— Un visiteur qui n'était pas invité et s'est installé ici comme chez lui!

— C'est vrai, mais j'ai senti, lorsque je contemplais ce portrait, que vous seriez aussi bonne et accueillante que vous l'avez été.

— Je suis sûre que vous auriez plu à maman! s'exclama impulsivement Grania.

— Vous ne pourriez rien dire qui me fasse un plus grand plaisir. J'ai entendu parler de votre mère et je sais combien elle était bonne et compréhensive avec tout le monde. Elle devait être très fière de sa fille.

— Elle ne serait pas très fière... si elle savait ce que papa a en vue pour moi, murmura Grania dans un soupir.

— Nous sommes déjà convenus que vous devez parler à votre père et lui faire comprendre ce qu'auraient été les sentiments de votre mère face à pareille situation.

Le Français parlait avec une sévérité inattendue, comme un maître d'école à un enfant qui doit lui obéir.

— Mon père a changé... depuis notre départ, avoua Grania. J'ai senti, pendant la traversée que... qu'il avait un souci.

Un silence tomba. Enfin le comte dit :

— S'il était resté ici et s'était occupé de ses plantations, je suis certain qu'elles lui auraient rapporté l'argent dont il a besoin et il n'aurait pas été contraint de devenir l'obligé de... certaines personnes.

Il y avait eu une brève hésitation avant les deux derniers mots et Grania devina qu'il avait été sur le point de dire « Roderick Maigrin » et s'était ravisé.

– Papa n'a jamais tiré beaucoup d'argent de la plantation, dit-elle.

– C'est parce qu'il s'est intéressé à trop de cultures à la fois, au lieu de privilégier celle pour laquelle la demande était la plus forte.

Grania considéra le comte avec étonnement et il sourit :

– Mes plantations rapportaient gros, j'avais d'excellentes récoltes.

– Et vous avez examiné les nôtres?

– Oui, j'étais curieux et je me demandais pourquoi votre père se rendait dépendant de ses amis alors qu'il aurait pu disposer d'une source de revenus considérables.

– On m'a toujours dit que les Français avaient l'esprit pratique et pourtant vous n'avez pas l'apparence d'un homme d'affaires.

– Je reconnais que j'ai, comme vous dites, l'esprit pratique et à la mort de mon père, quand j'ai repris nos plantations de la Martinique, j'étais résolu à en faire une belle réussite.

– Et maintenant, vous les avez perdues, murmura Grania. C'est un malheur vraiment cruel et j'en suis désolée pour vous.

– Je les reprendrai. Un jour, elles seront de nouveau à moi.

– En attendant, je vous en prie, aidez-nous pour les nôtres.

– Je le ferais volontiers pour vous, mais vous savez que c'est impossible. Tout ce que je puis vous conseiller, c'est de persuader votre père de se concentrer sur la culture de la noix muscade. Cela pousse très bien ici, mieux que dans d'autres îles, et il y a une demande qui vient du monde entier, une demande qui existe depuis le commencement des temps.

— Je crois que papa n'aime pas beaucoup les muscadiers parce qu'il les juge trop lents à porter des fruits.

— Oui, c'est vrai. Huit à neuf ans. Mais leur production s'accroît jusqu'à ce que les arbres aient une trentaine d'années et la récolte moyenne est de trois à quatre mille noix par arbre, chaque année.

— Je ne me doutais pas que c'était si énorme!

— De plus, il y a deux récoltes annuelles principales, reprit le comte. Vous avez déjà beaucoup de muscadiers mais ils sont malheureusement gênés et étouffés par d'autres arbres fruitiers et, naturellement, par ces broussailles envahissantes.

Il s'interrompit et, s'apercevant que Grania l'écoutait avidement, il se reprit :

— Pardonnez-moi, je vous fais la leçon. Mais, très franchement, cela me navre de voir de bonnes terres ainsi laissées à l'abandon.

— J'aimerais que vous puissiez parler de cette manière à mon père.

— Il ne m'écouterait pas. Mais peut-être pourriez-vous en parler à la personne qui s'occupe des plantations à sa place?

— C'était Abe, mais papa l'a contraint de les abandonner parce qu'il ne pouvait pas se passer de lui.

Le comte ne répondit pas et le silence retomba.

Grania poussa un petit soupir exaspéré.

— Vous me donnez l'impression d'être sans défense et ce problème est trop difficile pour moi.

— Naturellement et je suis injuste de vous ennuyer de la sorte. A votre âge, vous devriez profiter de la vie et découvrir tout ce qu'elle offre de beau et de passionnant. Pourquoi devriez-vous vous inquiéter de terres improductives et même de la présence de pirates qui s'installent dans une maison vide?

Il parlait à voix basse, comme pour lui-même, et Grania rit.

– Je trouve les pirates très passionnants. Ce sera une histoire à raconter un jour à mes enfants et mes petits-enfants, qui me jugeront très aventureuse.

Elle avait pris un ton léger, comme si elle s'adressait à son père ou à sa mère.

Puis, en croisant le regard du Français, elle comprit que si elle avait des enfants, ce seraient ceux de Roderick Maigrin et cette perspective lui donna envie de hurler.

Cependant, à la façon dont le flibustier la regardait, elle sentit le rouge envahir ses joues et son cœur se mit à battre d'une manière tout à fait singulière.

A ce moment, ils entendirent des voix et tendirent l'oreille.

– C'est Abe! s'écria Grania avec soulagement.

Sautant de son fauteuil, elle courut dans le vestibule en appelant :

– Abe! Abe!

Il sortit de la cuisine, suivi par le valet du Français.

– Qu'avez-vous découvert? demanda-t-elle vivement.

– Mauvaises nouvelles, milady, répondit Abe.

Avant qu'il en dise davantage, le valet s'approcha de son maître qui sortait du salon et se lança rapidement dans une tirade en français que Grania eut bien du mal à suivre. Quand il se tut enfin, elle demanda nerveusement :

– Qu'est-il arrivé?

– Oui, mauvaises nouvelles, répondit Beaufort. En même temps que la révolte commençait à Grenville, Charlotte Town a été attaquée par un autre groupe d'insurgés.

Grania poussa une exclamation d'horreur.

Elle connaissait bien Charlotte Town, située du côté occidental de l'île, un peu au nord de Saint-George's.

– Il y a eu beaucoup de morts, poursuivit le comte, et un membre de la colonie anglaise a été fait prisonnier.

– Sait-on de qui il s'agit?

Le Français interrogea son valet, puis il secoua la tête.

Abe avait dû comprendre car il annonça:

– Le Dr John Hay a été fait prisonnier.

– Oh non! s'écria Grania.

– Le docteur et le recteur de Charlotte Town ont été emmenés au Belvédère, précisa Abe.

– Pourquoi le Belvédère?

– C'est là que Redon a établi son quartier général, expliqua le comte. Les prisonniers de Grenville y ont été emmenés aussi.

Grania joignit les mains.

– Qu'allons-nous faire? demanda-t-elle. Et sait-on quelque chose de papa?

Abe secoua la tête.

– Non, milady. J'ai envoyé un garçon aux nouvelles.

Le valet se remit à parler et, quand il eut fini, le comte expliqua:

– Jusqu'à présent, il n'y a aucun signe de troubles à Saint-George's, où se trouvent les soldats anglais. Je pense que pour le moment vous ne risquez rien et quand votre père vous aura rejointe, vous serez en sûreté.

Grania ne dit rien, elle se contenta de le regarder et au bout d'un moment il ajouta, comme si elle l'avait interrogé :

— Jusqu'à l'arrivée de votre père, je resterai dans la rade.

— Merci.

Elle avait à peine murmuré le mot, mais l'expression de ses yeux était assez éloquente.

— Et maintenant, déclara le Français, comme Abe n'a pas eu le temps de préparer un déjeuner et comme je pense que vous devez avoir aussi faim que moi, me permettez-vous de vous inviter à un repas fort simple à bord de mon navire?

Le sourire de Grania éclaira tout son visage.

— Vous savez que je m'en ferai une joie.

Il donna quelques instructions à son valet et partit précipitamment vers la rade, en traversant le jardin en courant.

Grania attira Abe à l'écart.

— Ecoute, Abe, je suis en sécurité avec M. Beaufort. Ce n'est pas vraiment un pirate mais un réfugié de la Martinique.

— Je sais, milady.

— Tu ne me l'as pas dit! reprocha-t-elle.

— Je ne m'attendais pas à le trouver ici.

Grania dévisagea le vieux serviteur.

— Tu savais qu'il était venu ici... déjà?

Il y eut un petit silence et elle comprit qu'Abe se demandait s'il devait dire toute la vérité. Enfin, il répondit :

— Oui, milady, il vient, ne fait pas de mal. Un monsieur très bien! Quand il est ici, il paie pour tout ce qu'il emporte à son bateau.

— Il paie pour quoi?

— Les cochons, les poulets, les dindons.

Grania éclata de rire.

Il y avait une remarquable différence entre un pirate qui payait ce qu'il réquisitionnait et les boucaniers qui, comme Will Wilken, volaient purement et simplement et tuaient si on tentait de les en empêcher.

– Toi et moi, Abe, nous avons confiance en M. Beaufort, dit-elle, mais papa risque d'être fâché. Viens vite me prévenir s'il arrive pendant que je suis à bord, pour que je puisse venir l'accueillir au plus vite.

Elle n'avait pas vraiment peur de la réaction de son père mais plutôt de celle de Roderick Maigrin, s'il l'accompagnait. C'était un homme qui n'hésiterait pas à tirer et elle songea que si elle se trouvait responsable de la mort du comte de Vence, elle ne se le pardonnerait jamais.

– Pas de souci, milady, promit Abe. Quand le maître viendra, nous serons prêts.

– Merci, Abe.

Comme il faisait beaucoup plus chaud qu'au début de la matinée, Grania monta chercher une des ombrelles qu'elle avait rapportées de Londres.

En redescendant, elle trouva le comte qui l'attendait dans le vestibule. Elle était comme une enfant que l'on emmène à une fête inattendue et eut l'impression qu'il était aussi heureux qu'elle.

Sans parler, ils traversèrent la véranda et sur les marches de bois, un peu branlantes, il tendit une main pour soutenir Grania.

Elle la prit et, aussitôt, elle ressentit cet étrange frisson qu'elle avait déjà éprouvé, mais cette fois avec plus de force.

Il referma les doigts sur les siens et, quand ils arrivèrent en bas des marches, il ne lui lâcha pas la main.

– Je suis impatiente de faire un déjeuner à la française, dit-elle.

– J'ai peur de ne pas avoir eu le temps de commander ce que j'aimerais vous offrir, mais Henri, qui est avec moi depuis plusieurs années, fera de son mieux.

– Je veux voir aussi le reste de votre navire. Depuis combien de temps l'avez-vous et l'avez-vous construit vous-même?

Cela fit rire le comte.

– Je l'ai volé!

Grania attendit une explication:

– Quand les Anglais ont envahi la Martinique, reprit Beaufort, j'ai compris qu'il me fallait partir et j'avais l'intention de le faire avec mon propre bateau. Mais quand je suis descendu au port, j'ai aperçu le navire que vous avez vu et comme je le contemplais, un de mes amis qui m'accompagnait m'a dit: « Il paraît que l'homme dont la compagnie possède ce navire est en Europe en ce moment. C'est un trop beau vaisseau pour le laisser tomber entre les mains des Anglais! »

– Alors vous avez été d'accord avec lui et vous vous en êtes emparé?

– Il m'a semblé que c'était le mieux.

– Je trouve cela très raisonnable et pratique, deux qualités qui vous plaisent, je pense.

– Oui, naturellement, et cela signifiait aussi que je pouvais emmener davantage de personnes avec moi. J'ai également transporté une grande partie de mon mobilier, ainsi que mes portraits de famille, dans un lieu où ces choses qui me sont chères seront en sécurité jusqu'à la fin des hostilités.

– Où cela? demanda Grania avec curiosité.

– A Saint-Martin.

Il n'en dit pas plus et elle pensa qu'il ne souhaitait pas en parler longuement.

Ils marchèrent en silence sous les palmiers et quand le navire fut en vue, elle dégagea sa main.

Il faisait maintenant très chaud, malgré une brise légère qui soufflait de la mer.

Le navire était immobile mais Grania remarqua que les voiles étaient prêtes à être hissées d'un instant à l'autre.

« Une fois qu'il sera parti, je ne le reverrai plus jamais », pensa-t-elle.

Elle songea que ces instants qu'elle passerait avec le comte étaient très précieux et qu'elle ne les oublierait jamais.

Ils traversèrent le pont et descendirent dans la cabine. La table était mise pour deux, avec une nappe blanche immaculée et un bouquet de fleurs au centre.

Une délicieuse odeur de cuisine se mêlait à celle de la cire et avant que Grania puisse faire une réflexion, le valet entra, apportant une soupière.

Ils s'attablèrent et Jean, c'était le nom du valet, remplit deux belles assiettes de porcelaine.

Il y avait du pain français croustillant, et quand Grania porta à ses lèvres la première cuillerée de potage, elle reconnut la saveur de diverses herbes aromatiques et d'autres ingrédients venus de la mer pour parfumer ce consommé de poisson.

C'était délicieux, l'arôme aiguisa son appétit et ils mangèrent tous deux en silence.

Le valet servit dans les verres de cristal un vin doré comme le soleil. Tous deux sourirent de part et d'autre de la table et Grania se sentit soudain heureuse.

Après le potage, Jean apporta des homards grillés. Ils devaient certainement nager encore dans la mer une heure plus tôt et la jeune fille soupçonna qu'ils venaient de leurs propres casiers à homards que sa mère avait fait placer dans la baie. Cependant, elle ne posa pas de questions et se contenta de manger avec appétit, car les homards étaient tendres et succulents et la salade qui les accompagnait différente de tout ce qu'on lui avait servi à Londres.

Le repas se termina par du fromage et des fruits; mais Grania était repue et le comte et elle prirent alors le café.

Enfin, le silence fut rompu bien qu'elle ait eu l'impression qu'ils avaient communiqué sans paroles.

— Si c'est cela, la vie d'un pirate, dit-elle, je crois bien que je me ferai pirate.

— C'est cela pour le moment, répondit-il, quand un pirate se repose avec sa dame et oublie les dangers et les incertitudes de l'errance sur toutes les mers du globe.

— Ce doit être passionnant quand même. Vous êtes libre d'aller où vous voulez, de n'obéir aux ordres de personne, de vivre selon votre fantaisie.

— Comme vous l'avez fait remarquer, je suis raisonnable et ne manque pas de sens pratique. Je rêve de sécurité, d'une femme et d'enfants, mais c'est une chose que je ne pourrai jamais avoir.

Il parlait comme s'il lui confiait des choses d'une grande importance. Elle se sentit brusquement intimidée et prit sa cuillère pour tourner son café, qui n'en avait aucun besoin.

— La vie d'un pirate n'est certainement pas une vie pour une femme, reprit le comte en suivant son idée.

— Mais s'il n'y a pas d'autre choix? hasarda Grania.

– Toute situation comporte un choix, déclara-t-il. Je pourrais renoncer à la flibuste, mais alors je mourrais de faim ainsi que ceux qui m'accompagnent.

Un silence tomba, un silence lourd de signification avant que le comte dise vivement :

– Mais parlons de choses plus intéressantes ! De livres et d'art, par exemple ? Ou de nos langues différentes. J'ai grande envie de vous entendre parler français.

– Vous trouverez peut-être que je le parle mal, répondit-elle en français.

– Votre accent est parfait ! s'exclama-t-il. Où avez-vous appris ? Avec qui ?

– Ma mère, et elle avait pris des leçons avec un vrai Parisien.

– C'est tout à fait évident !

– J'ai suivi aussi des cours en Angleterre, bien que le français y soit impopulaire. On était surpris que je veuille apprendre une langue aussi « barbare », parlée par un peuple ennemi.

– Je le comprends. Mais même si les Anglais sont en guerre contre mon pays, pour le moment, je veux quand même apprendre à parler comme un Anglais.

– Pourquoi ?

– Parce que cela peut toujours être utile.

– Votre anglais est excellent, à part quelques mots que vous prononcez curieusement et parfois vous placez mal l'accent tonique.

Le comte sourit.

– Très bien. Quand nous serons ensemble, je vous corrigerai et vous me corrigerez. D'accord ?

– Oui, bien sûr et, pour être justes, nous devrions partager notre temps : parler tantôt anglais, tantôt français, et personne ne devra tricher.

Le comte rit puis il dit :

– Ce sera intéressant de voir qui sera le meilleur élève. J'ai l'impression, Grania, que puisque vous êtes plus sensible que moi, vous remporterez le prix.

Elle remarqua qu'il l'avait appelée par son prénom et, une fois de plus, il parut lire dans ses pensées car il avoua :

– Je ne puis continuer de vous appeler « mademoiselle ». Nous nous connaissons déjà trop bien pour être si protocolaires.

– Nous avons fait connaissance ce matin seulement.

– Ne croyez pas cela. Je vous connais et je vous admire depuis bien des nuits, je vous ai parlé et votre image ne m'a pas quitté de la journée.

Ces paroles troublèrent la jeune fille et elle sentit une chaleur envahir ses joues.

– Vous êtes très belle, murmura le comte. Bien trop belle pour la paix de mon âme. Si j'étais aussi raisonnable que vous le dites, je lèverais l'ancre dès que je vous aurais déposée à terre.

– Non! Je vous en prie... Vous... vous avez promis de rester jusqu'à l'arrivée de mon père!

– Je suis égoïste et ne pense qu'à moi.

– C'est plutôt moi qui suis égoïste.

– Vous voulez vraiment que je reste?

– Je vous en conjure. Je me mettrai à genoux, si c'est ce que vous souhaitez.

Brusquement, le comte se pencha et tendit sa main. Lentement, timidement, Grania y plaça la sienne.

– Ecoutez-moi, Grania. Je suis un homme sans foyer, sans avenir, un proscrit autant aux yeux des Français que des Anglais. Laissez-moi partir alors que je le peux encore.

Les doigts de Grania se crispèrent sur ceux de Beaufort.

– Je... je ne peux pas vous retenir de force.

– Mais vous me demandez de rester.

– Oui, je le veux. Je vous en supplie... je le veux. Si... si vous partiez, j'aurais très peur.

Il la regarda dans les yeux et elle fut incapable de se détourner.

– Comme vous venez de le rappeler, dit-il, nous ne nous connaissons que depuis quelques heures.

– Oui mais... le temps ne modifie pas ce que je... ce que j'éprouve avec vous.

– Qu'éprouvez-vous?

– Eh bien, avec vous, je... je suis en sécurité et je sens que rien de mauvais ne pourra m'atteindre.

– J'aimerais que ce soit vrai.

– Mais c'est vrai! Vous savez que c'est vrai! s'écria Grania.

Le comte porta la main de Grania à ses lèvres.

– Très bien. Je resterai, mais, quand je partirai, il ne faudra pas vous en vouloir et il ne devra y avoir aucun regret.

– Je vous le promets... Pas de regrets.

Mais elle avait l'impression qu'elle serait incapable de tenir cette promesse.

Ils bavardèrent encore un moment, jusqu'à ce que Jean vienne desservir et le comte dit alors :

– Venez, installez-vous sur le canapé et allongez les jambes. C'est l'heure de la sieste et mon équipage se repose sur le pont ou dans l'entrepont. Je ne crois pas que nous serons dérangés car votre père ne se mettra pas en route pendant la grosse chaleur.

Grania savait que c'était la vérité. Aussi suivit-elle

le conseil du comte et s'installa-t-elle commodément parmi les coussins.

Il tira un fauteuil pour se rapprocher d'elle et étendit ses longues jambes gainées de bas blancs. Grania sourit.

– Est-ce vraiment possible? demanda-t-elle. Je crois que les Français comme les Anglais seraient très surpris, s'ils pouvaient nous voir en ce moment.

– Les Anglais seraient certainement très fâchés. Ils détestent les pirates, les corsaires et les flibustiers parce qu'ils défient leur suprématie sur les mers, une suprématie bien incertaine dans un moment où la révolte gronde ici et à la Guadeloupe... En même temps, ils tiennent la Martinique et d'autres îles, alors le port de Saint-George's va certainement recevoir des renforts, tôt ou tard.

Grania s'en doutait mais elle pensait qu'avant l'arrivée des soldats les rebelles auraient le temps de faire beaucoup de mal. Elle se souvenait des tortures qu'ils avaient fait subir sur d'autres îles à leurs prisonniers, avant de les tuer. Elle frissonna en imaginant les humiliations et les souffrances qui étaient peut-être infligées en ce moment même au Dr Hay et au recteur.

Le comte l'observait attentivement.

– N'y pensez plus, dit-il. Vous n'y pouvez rien et lorsqu'on pense trop à des choses horribles, elles risquent de vous rendre plus vulnérable.

Grania le regarda avec intérêt.

– Selon vous, la pensée peut-elle se transmettre?

– Ne croyez pas que je me réfère au culte vaudou ou à la magie noire quand je dis que les indigènes de la Martinique savent ce qui se passe à quinze lieues, à l'autre bout de l'île, longtemps avant qu'un messager ait pu parcourir cette distance pour apporter la nouvelle.

– Vous voulez dire qu'ils sont capables de communiquer entre eux d'une manière qui nous échappe ou que nous avons oubliée?

– Jamais je ne sous-estimerai leurs pouvoirs.

– C'est très intéressant.

– Puisque vous êtes à demi irlandaise, il devrait vous être facile de comprendre ce phénomène.

– Oui, bien sûr. Papa me parlait autrefois de sorciers irlandais capables de prédire l'avenir. Naturellement, j'ai entendu parler des *leprechauns* quand j'étais petite.

– Tout comme j'ai entendu parler des esprits qui hantent les montagnes et les forêts de la Martinique.

– Pourquoi ne vous ont-ils pas averti que les Anglais allaient envahir votre île? demanda Grania.

– Peut-être ont-ils essayé de le faire et ne les avons-nous pas entendus. Quand vous viendrez à la Martinique, vous pourrez sentir leur présence et peut-être les voir.

– Cela me passionnerait! s'exclama-t-elle.

– Il faut faire confiance à votre destin, dit le comte, qui vous a déjà arrachée à une situation très difficile, ce dont je lui suis infiniment reconnaissant.

– Et moi je vous suis reconnaissante d'être ici. Quand j'ai traversé la forêt à cheval, j'avais le sentiment de fuir un terrible danger et de courir vers quelque chose de très différent.

– Quoi, par exemple?

Elle respira profondément.

– Ce que je ressens quand je suis assise ici, quand nous parlons ensemble. Je... je ne peux pas le décrire... exactement. Mais cela me rend très... très heureuse.

Après un silence, le comte murmura :

– C'est tout ce que je veux que vous éprouviez pour le moment.

4

Les heures de grosse chaleur s'écoulèrent lentement. Parfois le comte et Grania bavardaient, parfois ils restaient silencieux comme s'ils communiquaient sans paroles.

Mais elle sentait qu'il ne la quittait pas des yeux, et par moments cela l'intimidait : un mélange presque magique de plaisir et de gêne.

Enfin, ils entendirent un bruit de pas sur le pont et un homme qui sifflotait gaiement. Le comte se leva.

– Je crois qu'il me faut vous raccompagner chez vous. Votre père devrait être ici dans une heure environ.

Grania savait que c'était le temps qu'il faudrait à son père pour arriver par la route.

Elle avait envie de rester, de continuer à bavarder avec le comte, mais elle ne trouva aucun prétexte valable pour s'attarder. A contrecœur, elle se leva.

– Vous êtes ravissante, dit-il gravement et, encore une fois, elle rougit.

Il l'observa un moment avant d'ajouter :

– Je dois vous dire tout le plaisir que m'a procuré votre présence ici. Il m'a semblé, un moment, que nous étions hors du temps, en paix avec le monde;

peut-être serait-il plus juste de dire en paix avec nous-mêmes.

– C'est aussi ce que je pense, répondit Grania mais elle eut du mal à soutenir son regard.

Comme à regret, il se tourna vers la porte de la cabine et l'ouvrit.

– Venez, dit-il, allons voir s'il y a des nouvelles de votre père. Il faut vous préparer à lui parler fermement, à lui faire comprendre votre point de vue.

Grania ne répondit pas.

Beaufort lui avait apporté un sentiment de sécurité et de paix; elle avait du mal à revenir à la réalité, à la menace que représentait Roderick Maigrin.

Beaufort était à ses côtés, le soleil brillait, la mer était d'un bleu étincelant, les palmiers se balançaient doucement dans le vent tiède.

Quand ils montèrent sur le pont, Grania sourit à l'un des hommes qui travaillaient au gréement. Il lui rendit son sourire, la saluant d'un geste courtois.

Le comte s'arrêta.

– Voici Pierre, mon ami et voisin de la Martinique.

Il parla en français :

– Pierre, permets-moi de te présenter à la charmante jeune personne qui nous donne l'hospitalité : Secret Harbour lui appartient.

Pierre se redressa et quand Grania lui tendit la main, il la porta à ses lèvres.

– Enchanté, mademoiselle.

Elle eut presque l'impression que les présentations avaient lieu dans quelque salon de Paris ou de Londres.

Elle emprunta la passerelle et, quand le comte la rejoignit à terre, il lui dit :

– Demain, si je suis encore ici, j'aimerais vous présenter le reste de mon équipage. Il vaut mieux que ces hommes restent anonymes, c'est pourquoi je les appelle par leur prénom. Tous ont renoncé à des situations bien différentes mais souvent brillantes afin d'échapper à la dure domination anglaise.

– Nous montrons-nous vraiment si implacables, quand nous sommes les maîtres? demanda Grania.

– Tous les conquérants sont odieux aux peuples conquis.

La voix était dure et, un instant, la jeune fille pensa qu'il la détestait, qu'il voyait en elle une ennemie. Elle le regarda d'un air suppliant et il s'excusa.

– Pardonnez-moi. J'essaie de ne pas être amer et, surtout, de ne pas penser à moi, mais à vous.

– Vous savez bien que c'est ce que je veux, souffla-t-elle.

Sensible, elle le devinait amer parce que leurs deux pays étaient en guerre. Il ne pouvait lui offrir le refuge de son domaine de la Martinique et il ne leur était pas possible d'avoir des rapports normaux.

Ils avancèrent à travers les fourrés jusqu'à ce que la maison soit en vue. Grania s'arrêta.

Tout paraissait calme, assurément son père n'était pas revenu.

Abe l'aurait avertie s'il l'avait aperçu.

Cependant, Beaufort était avec elle, elle devait être prudente et s'assurer qu'il n'allait pas, par sa faute, tomber dans un traquenard.

Elle crut un moment qu'il allait la quitter et retourner à son navire mais quand elle se remit à marcher, il resta à ses côtés et ils gravirent les marches de la véranda et entrèrent ensemble par la porte ouverte.

Grania entendit la voix d'Abe. Il parlait à quelqu'un dans la cuisine et elle l'appela.

– Abe!

Il arriva aussitôt. En le voyant sourire elle fut rassurée. Tout allait bien.

– Bonne nouvelle, milady!

– Du maître?

– Non, pas de nouvelles de Maigrin House, mais Mama Mabel est revenue.

Grania battit des mains en poussant un cri de joie.

– Elle reste avec nous?

– Oui, milady. Très heureuse d'être revenue.

– C'est merveilleux! s'exclama-t-elle en se tournant vers Beaufort. Monsieur, voulez-vous me faire l'honneur de dîner ici avec moi, ce soir? Je ne puis vous promettre un repas préparé par un chef français mais ma mère a toujours pensé que Mama Mabel était la meilleure cuisinière de l'île.

Le comte s'inclina.

– Merci, mademoiselle, j'accepte avec le plus grand plaisir votre aimable invitation.

Grania rit de bonheur.

– Voulez-vous que nous dînions à sept heures et demie?

– Je serai à l'heure.

Le comte s'inclina encore une fois, tourna les talons et sortit par la véranda.

Grania le suivit des yeux jusqu'à ce qu'elle le perde de vue, puis elle dit à Abe :

– Organisons un beau dîner, comme autrefois quand maman était ici, avec les chandeliers sur la table et toute l'argenterie. Avons-nous du vin?

– Une bouteille, milady. Je l'ai cachée du maître.

Grania sourit.

Quand ils avaient du très bon vin, sa mère en cachait toujours quelques bouteilles, en prévision des grandes occasions. Précaution utile car son père buvait tout, sans discrimination, et proposait ses vins à tous ceux qui venaient à la maison, quel que soit leur rang.

Elle était heureuse de pouvoir offrir un excellent bordeaux au Français.

— Tu feras un punch aux fruits, comme apéritif, dit-elle, et puis, naturellement du café. Je vais aller parler à Mama Mabel.

Comme elle s'y attendait, l'énorme Mama Mabel et son large sourire semblaient remplir la cuisine.

Sa science culinaire était telle que dans l'île tout le monde attachait grand prix aux invitations à Secret Harbour.

Grania avait entendu le gouverneur se plaindre qu'on ne pouvait trouver personne capable de rivaliser avec elle. Sa mère l'avait même soupçonné de chercher à séduire Mama Mabel avec des gages plus élevés que ceux de Secret Harbour.

Mais Mama Mabel, comme beaucoup d'autres serviteurs du domaine, du vivant de la maîtresse, considérait qu'elle faisait partie de la famille.

Grania s'entretint un moment à la cuisine avec Mama Mabel, puis elle partit à la recherche d'Abe qu'elle trouva en train de faire briller l'argenterie.

Elle l'observa un moment, puis elle lui dit à voix basse :

— Si le maître revient, tu devras avertir M. Beaufort de ne pas venir.

Abe réfléchit un instant, hocha la tête et puis il annonça :

— Demain, Bella sera là.

— Je pensais qu'elle était partie.

– Pas loin.

Bella était la servante qui s'était occupée de Grania depuis sa petite enfance et qui, lorsqu'elle avait grandi, lui confectionnait toutes ses robes.

La comtesse avait fait d'elle une camériste parfaite et Grania savait qu'au retour de Bella elle serait à nouveau choyée et dorlotée et que ses toilettes de Londres seraient entre les meilleures des mains.

Elle se dit qu'elle était trop optimiste; plus probablement, son père la ramènerait à Maigrin House et lui imposerait ce mariage, et Bella ne serait pas autorisée à la suivre.

Puis elle pensa qu'elle devait plutôt se préparer à affronter son père : elle saurait le convaincre qu'elle ne pouvait épouser Roderick Maigrin et que, s'ils s'occupaient sérieusement de la plantation, ils auraient assez d'argent pour vivre confortablement et être heureux, malgré le grand vide laissé par sa mère.

« Mon Dieu, je vous en supplie, pria-t-elle, faites qu'il m'écoute. Je vous en supplie, mon Dieu! »

Elle sentit sa prière s'élever vers le ciel et se sentit rassurée. Comme elle voulait se faire belle pour le dîner, elle monta dans sa chambre.

Ses malles n'avaient pas été défaites et elle comprit qu'Abe avait eu la sagesse de laisser cette tâche à Bella. Grania se mit à fouiller, en quête de la plus jolie de ses toilettes.

Sa mère la lui avait fait faire juste avant de tomber malade : à cette époque, Grania allait encore à l'école mais elle était parfois autorisée à dîner avec les amis de sa mère quand il y avait une petite réception intime.

Elle souleva la robe, secoua les faux plis de la large jupe bouffante et se dit que ce corsage ajusté, avec ses petites manches ballon, était tout à fait seyant.

« Je me demande s'il va m'admirer », pensat-elle.

Grania ne fut pas déçue par l'expression du comte quand il pénétra dans le salon où elle l'attendait.

Il ne faisait pas encore nuit, mais elle avait allumé quelques chandelles et dès qu'il apparut sur le seuil elle retint sa respiration, tant elle le trouvait séduisant.

Elle se dit que s'il était élégant et distingué dans sa simple tenue de jour, en habit de soirée à longues basques et cravate à jabot, aucun homme ne pouvait avoir plus d'allure.

Si elle avait quelque peine à trouver des mots d'accueil, il semblait que le comte fût dans le même embarras.

Pendant un moment, ils se dévisagèrent en silence. Puis il s'avança vers elle et elle eut comme l'impression qu'il rayonnait de lumière. Une lumière où Grania eût voulu se fondre...

– Bonsoir, Grania. Vous êtes merveilleusement belle.

– Bonsoir, monsieur le comte.

Elle voulait l'appeler par son prénom mais le mot refusa de passer ses lèvres.

Intimidée, elle dit vivement :

– J'espère que le dîner ne vous décevra pas.

– Rien ne saurait me décevoir ce soir.

Elle leva la tête vers lui et crut distinguer dans ses yeux, à la lueur des chandelles, une singulière expression; elle eut l'impression que ces yeux noirs lui transmettaient un message qu'elle ne comprenait pas.

Abe arriva alors avec le punch aux fruits, parfumé de rhum et de muscade râpée.

Grania prit un verre sur le plateau d'argent et, de nouveau, elle ne sut que dire. Elle avait cependant tant de choses à lui dire qu'elle craignait avec détresse que le temps ne lui manquât.

Ils dînèrent dans la salle à manger que sa mère avait décorée, aux murs vert très pâle et aux rideaux d'un ton plus vif. Tout ce vert donnait l'impression que l'on se trouvait dans un jardin.

Des chandeliers d'argent éclairaient la table et, tandis que le soir tombait et que les ombres s'allongeaient, la pièce devint un petit îlot de lumière, un havre préservé, loin du monde.

Le dîner fut délicieux mais plus tard Grania eût été bien en peine de dire ce qu'elle avait mangé.

Le comte apprécia le bordeaux. Cependant, il le but distraitement. Ses yeux ne quittaient pas le visage de la jeune fille.

– Parlez-moi de votre maison de la Martinique, dit-elle.

Comme s'il estimait devoir répondre à son attente, il lui raconta comment son père l'avait construite avec un architecte qu'il avait fait venir de France, pour en faire une des plus belles demeures de l'île.

– J'ai une petite consolation, dit-il. Les Anglais en ont fait leur quartier général, ce qui ne m'étonne pas. Elle ne sera donc ni pillée ni incendiée, comme l'ont été beaucoup d'autres maisons de planteurs.

– Ah, tant mieux!

– Un jour, je pourrai vous la montrer et vous verrez combien les Français savent veiller à leur bien-être quand ils sont au loin.

– Et vos propriétés de France?

Le comte haussa les épaules.

– J'espère que la Révolution n'aura pas fait autant de ravages dans le Midi que dans le Nord. Comme Vence est une petite ville fortifiée, peut-être a-t-elle été préservée.

– Je l'espère pour vous, murmura Grania.

– Qui vivra verra. D'ailleurs, je ne retournerai jamais en France, sauf pour de brefs séjours. J'ai fait de la Martinique mon foyer, tout comme mon père avant moi, et un jour je recouvrerai mon domaine. Ensuite, ajouta-t-il d'une voix plus grave, je m'appliquerai à restaurer la maison dans son ancienne splendeur, afin qu'elle aille à mes enfants... si jamais j'en ai.

Il avait hésité en achevant cette phrase et comme ils étaient si mystérieusement proches par la pensée, Grania sentit qu'il lui disait que s'il ne pouvait avoir d'enfants d'elle, il resterait célibataire.

Alors même que cette idée lui venait à l'esprit, elle se dit qu'elle était absurde.

Chez les Français, les mariages étaient arrangés presque à la naissance et il était même tout à fait étonnant que le comte ne soit pas encore marié.

Quand le moment viendrait, il choisirait une Française d'un rang égal au sien; il ne lui serait pas possible d'épouser une femme d'une autre nationalité.

Sa mère lui avait souvent parlé de la fierté des Français, surtout dans les anciennes familles; elle lui avait raconté que les aristocrates, debout dans les charrettes, allaient à la guillotine tête haute, toisant leurs bourreaux avec un mépris orgueilleux.

Soudain, Grania se sentit insignifiante, sans prestige.

Comment la fille d'un pair irlandais impécunieux et ivrogne pourrait-elle devenir l'épouse d'un homme dont la lignée remontait probablement à Charlemagne?

Elle baissa la tête, consciente pour la première fois des murs à la peinture écaillée, des rideaux fanés, du tapis élimé.

Aux yeux d'un étranger, pensa-t-elle, la maison devait paraître délabrée et négligée. Et elle fut heureuse que l'ombre environnante atténuât un peu les signes de cet abandon.

Le repas était terminé depuis quelques instants et le comte repoussa sa chaise.

– Nous avons fini, dit-il. Irons-nous au salon?

Grania sursauta.

– Oui, naturellement. J'aurais dû le proposer.

Elle passa devant lui et après l'avoir suivie le comte ferma la porte du salon, puis il marcha très lentement vers le canapé près duquel elle se tenait, indécise et troublée.

Il s'approcha d'elle et la contempla longuement tandis qu'elle attendait.

– Je vais partir, dit-il. Je regagne mon bord et demain, à l'aube, nous prendrons le large.

Elle poussa un petit cri.

– Pourquoi? Pourquoi? Vous aviez promis de rester!

– Je ne le peux pas.

– Mais... pourquoi?

– Je vous crois assez femme pour deviner la raison, sans qu'il me faille vous l'expliquer, dit-il. (Et comme elle ouvrait de grands yeux, il poursuivit:) Vous êtes très jeune mais vous savez déjà, j'en suis sûr, que l'on ne peut jouer avec le feu sans se brûler. Je dois partir, avant de vous faire du mal et de m'en faire à moi aussi.

Grania joignit les mains mais ne put parler et il reprit:

– Je suis tombé amoureux de votre portrait dès que je l'ai vu et je n'ose vous dire ce que j'éprouve pour vous maintenant, parce que ce serait mal.

– Mal? dit-elle dans un souffle.

– Je n'ai rien à vous offrir, comme vous le savez, et quand je serai parti vous m'oublierez.

– Cela me sera impossible...

– Vous le croyez en ce moment, mais le temps est un grand maître et nous devons oublier. Nous le devons l'un et l'autre.

– Je vous en prie... je vous en supplie...

– Non, Grania! Ni vous ni moi ne pouvons rien changer à la situation. Vous représentez tout ce qu'un homme peut rêver tout en pensant qu'il ne le trouvera jamais. Mais vous n'êtes pas pour moi.

Il prit la main de Grania dans les siennes.

Pendant un moment, il contempla cette petite main comme si c'était un bijou précieux. Puis, lentement et avec une grâce exquise, il courba la tête et baisa d'abord le dessus de la main puis, la retournant, la paume.

Grania éprouva comme une brûlure fulgurante, puis se sentit envahie par une chaude faiblesse.

Enfin il la lâcha et se dirigea vers la porte.

– Adieu, mon amour, murmura-t-il. Que Dieu vous garde et vous protège.

Elle poussa un cri, mais la porte déjà s'était refermée et elle entendit ses pas sur la véranda, sur les marches, dans le jardin.

Elle comprit alors que c'était la fin et qu'elle ne pouvait plus rien dire ou faire pour le retenir...

Longtemps après, Grania se coucha en songeant que c'était dans ce lit qu'il avait dormi la nuit précédente.

Abe avait changé les draps, ils étaient lisses et

frais, mais elle avait l'impression que l'empreinte du corps de Beaufort demeurait, que le fluide qui passait entre elle et lui vibrait encore. C'était presque comme si elle s'était couchée dans ses bras.

Elle aurait voulu pleurer mais n'y parvenait pas. Il y avait une pierre dans sa poitrine – de plus en plus lourde à chaque minute.

« Je l'ai perdu! Je l'ai perdu! » se dit-elle en sachant qu'elle n'y pouvait rien.

Elle ferma les yeux et revécut la journée heure par heure, minute par minute : ce qu'ils s'étaient dit, ce qu'elle avait ressenti, et finalement les sentiments qu'il avait éveillés en elle en lui embrassant la paume de la main.

Elle y posa ses propres lèvres, essayant de retrouver une extase si rapide, si fugace...

Elle se demanda ce qu'il avait ressenti. La même chose, peut-être?

Tout en étant fort ignorante des hommes et de l'amour, elle était sûre qu'il n'aurait pu provoquer chez elle une telle réaction sans être lui-même semblablement troublé.

« Je l'aime! Je l'aime! »

Les mots résonnaient et tournaient dans sa tête. Elle avait envie de mourir, que ce soit la fin du monde, qu'il n'y ait pas de lendemain.

Elle dut s'assoupir car soudain la porte s'ouvrit à la volée, et elle se réveilla en sursaut, poussant un cri de frayeur.

Une lumière l'éblouit quand elle se redressa et pendant un instant elle ne put voir ce qui se passait. Et puis, debout sur le seuil et armé d'une lanterne, elle distingua Roderick Maigrin.

Grania se crut en plein cauchemar; ce n'était pas vrai, il ne pouvait pas être là, lourd, massif, les jambes écartées comme pour garder son équilibre, la figure rouge dans la lumière vacillante, les yeux furieux et menaçants.

– Qu'est-ce qui vous a pris de vous enfuir comme ça? gronda-t-il. Je suis revenu vous chercher.

Sur le moment, Grania fut incapable de répondre. Enfin, d'une voix étrange qui n'était plus la sienne, elle bafouilla :

– Où... où est papa?

– Votre père n'était pas en état de faire le voyage, répliqua Roderick Maigrin, alors je suis venu à sa place. Que d'ennuis vous me causez, jeune personne!

Grania parvint à se redresser avant de dire d'une voix plus claire :

– Je ne retournerai pas chez vous. Je veux que mon père vienne ici.

– Votre père n'en fera rien!

Il pénétra dans la chambre et se tint au pied du lit, se cramponnant d'une main à la boule de cuivre du montant.

– Si vous n'aviez pas eu la stupidité de fuir lâchement, dit-il sur un ton agressif, vous auriez appris que j'ai maté les rebelles qui vous ont effrayée, et qu'il n'y aura plus de révolte dans ma plantation.

– Comment pouvez-vous en être sûr? demanda Grania.

– J'en suis sûr, parce que j'ai réglé leur compte aux meneurs. Ils ne pourront plus venir semer la sédition parmi mes esclaves!

– Vous... vous les avez tués?

– Je les ai fusillés sur-le-champ, avant qu'ils aient l'occasion de faire plus de dégâts.

Son comportement satisfait révélait qu'il avait aimé tuer et Grania fut soudain convaincue que les hommes qu'il avait abattus étaient sans armes.

Elle chercha comment elle pourrait l'éloigner.

Tandis qu'elle se creusait la tête, elle s'aperçut qu'il la regardait étrangement : elle prit conscience de la transparence de sa chemise de nuit.

Elle se rejeta contre ses oreillers et remonta le drap. Il éclata de rire, du rire d'un homme très sûr de son fait.

— Vous êtes bougrement séduisante comme ça, et vous le serez encore plus quand je vous aurai appris à être une femme. Maintenant dépêchez-vous de vous habiller. J'ai une voiture qui nous attend, encore qu'après votre conduite je devrais vous faire aller à pied!

— Vous voulez dire... Vous voulez que je parte avec vous, à cette minute même? demanda Grania, persuadée d'avoir mal compris.

— Avec le clair de lune pour nous éclairer, ce sera une promenade d'amoureux, railla Maigrin, et demain matin, un pasteur nous mariera.

Grania laissa échapper un petit cri d'horreur.

— Je ne vous épouserai pas! Je ne vous suivrai pas! Je... je refuse! Vous comprenez? Je refuse!

Il rit encore.

— Ainsi, c'est ça, votre attitude! Je suppose, demoiselle aux Grands Airs, que vous ne me trouvez pas assez bon pour vous. Eh bien, vous vous trompez! Si je n'avais pas payé les dettes de votre père, il serait en prison! Fourrez-vous ça dans la tête! (Il s'interrompit un moment et ses petits yeux se plissèrent, puis il persifla :) Si vous ne voulez pas vous habiller pour m'accompagner, je vous ramènerai comme vous êtes et j'y prendrai grand plaisir.

C'était une menace qu'il semblait prêt à mettre à exécution car il contourna le montant du lit pour s'approcher d'elle et cette fois elle poussa un long cri de terreur.

On frappa à la porte restée ouverte et Roderick Maigrin se retourna.

Abe se tenait sur le seuil.

Il apportait un verre sur un plateau d'argent et ce fut avec une figure impassible qu'il s'avança et dit :

– Monsieur aimerait boire?

– Et comment! Mais c'est de la dernière impertinence de m'avoir suivi.

Roderick Maigrin prit le verre sur le plateau et, comme Abe ne bougeait pas, il gronda :

– Je suppose que c'est toi que je dois remercier pour avoir aidé ta maîtresse à s'enfuir si stupidement! Je vais te faire donner du fouet dans la matinée, pour ne pas avoir dit à ton maître où vous alliez.

– J'ai essayé de réveiller le maître, monsieur, mais lui, pas bouger.

Maigrin ne répondit pas.

Il buvait avidement le punch apporté par Abe, l'avalant comme s'il s'agissait d'eau claire.

Le verre vidé, il le reposa brutalement sur le plateau qu'Abe présentait toujours.

– Va m'en chercher un autre! Et pendant que je bois, tu porteras les malles de ta maîtresse en bas et tu les mettras dans ma voiture... Elle repart avec moi. Tu nous suivras, avec les chevaux de ton maître. Ni toi ni elle ne reviendrez ici.

– Oui, monsieur, murmura Abe et, tournant les talons, il sortit de la chambre.

Grania aurait voulu lui crier de ne pas la quitter mais elle savait que si Roderick Maigrin faisait fouetter ou tuer Abe, elle serait impuissante à l'en empêcher.

Cependant, l'intrusion du serviteur avait distrait

Maigrin. Il s'essuya la bouche d'un revers de main et grommela :

– Dépêchez-vous de vous habiller ou vous verrez que je ne plaisante pas quand je dis que je vous emmènerai comme vous êtes. Quand vous serez ma femme, vous obéirez, sinon vous vous apercevrez qu'il en cuit de me défier !

Il se dirigea vers la porte. Arrivé là, il se rendit compte que s'il emportait la lanterne il laisserait Grania sans lumière.

Il la posa bruyamment sur la commode et, cramponné à la rampe, il commença à descendre tout en glapissant :

– Allume des chandelles, sale paresseux de nègre ! Comment veux-tu que je retrouve mon chemin dans le noir ?

Grania resta paralysée de terreur, songeant avec détresse à la seule personne qui pouvait maintenant la sauver, non seulement du retour à Maigrin House mais aussi du mariage prévu.

Alors même qu'elle pensait à Beaufort, elle savait qu'il lui serait impossible de le joindre.

La maison avait été construite avec un seul escalier, puisque les serviteurs dormaient à l'extérieur dans leurs cases.

La seule voie d'évasion était de passer par le vestibule et que Roderick Maigrin fût dans la salle à manger ou au salon, il la verrait et la suivrait.

Il découvrirait ainsi la présence du comte. Ce serait le trahir, lui et ses amis, vouer à la mort tous ceux qui étaient à bord.

– Que faire ? Mais que faire ? se demanda-t-elle tout haut.

Et puis, comme elle n'avait pas le choix, elle se leva.

Elle ne sous-estimait pas la menace de Roderick

Maigrin de l'emmener telle qu'elle était, et elle devinait qu'il serait heureux de l'humilier et de prouver son emprise sur elle et sur son père.

Demain, elle serait la femme d'un tel homme! En y songeant, elle se dit que jamais elle ne pourrait l'admettre. Si c'était là le destin qui l'attendait, plutôt se tuer que d'être sa femme.

Et si elle se donnait la mort, il continuerait sans doute d'aider son père : il ne mettrait pas à exécution sa menace de le laisser emprisonner, tant qu'il aurait besoin de lui pour se lancer dans la haute société.

« Je mourrai! » se promit fermement Grania et elle se demanda comment elle s'y prendrait.

Lentement, parce que le temps passait, elle commença à s'habiller.

Elle venait de prendre dans l'armoire la robe qu'elle avait portée dans la journée et s'en revêtait quand Abe reparut.

Il était monté si discrètement qu'elle n'avait rien entendu. Lorsqu'il entra dans la chambre, elle eut envie, comme lorsqu'elle était petite, de se précipiter vers lui.

— Abe... Abe, murmura-t-elle. Que puis-je faire?

Il porta un doigt à ses lèvres et, en traversant la chambre pour fermer une des malles et boucler les courroies, il chuchota, si bas qu'elle put à peine entendre :

— Attends ici, milady. Je viens te chercher.

Grania le regarda avec stupéfaction, en se demandant ce qu'il voulait dire.

Il souleva la malle, la hissa sur son épaule et descendit sans faire plus de bruit qu'un chat. Grania l'entendit demander respectueusement :

— Encore un punch, monsieur?

— Apporte-le-moi et dépêche-toi avec les bagages,

gronda Roderick Maigrin. (Grania devina qu'il était assis juste à l'entrée du salon.)

— Trois autres malles, monsieur.

— Dis à ta maîtresse de descendre me tenir compagnie. Je m'ennuie ici, tout seul.

— Pas prête, monsieur, répondit Abe qui était déjà à mi-étage.

Il ferma la deuxième malle et la descendit.

Grania l'entendit servir un autre verre de punch à M. Maigrin.

Elle pensa que Mama Mabel devait les préparer à la cuisine. Abe remonta mais, cette fois, il n'arrivait pas les mains vides.

Il tenait une grande panière d'osier qui servait à porter la lessive dehors pour l'étendre au soleil, une fois lavée.

Grania le regarda avec étonnement quand il la posa par terre et, sans un mot, lui fit signe d'y monter.

Elle comprit alors, se blottit au fond de la corbeille et attendit qu'il enlève un drap du lit pour la recouvrir, toujours silencieux.

Soulevant le panier par ses deux anses, il s'engagea dans l'escalier.

Le cœur de Grania battait fébrilement; elle se disait qu'en dépit de tout ce qu'il avait bu Roderick Maigrin risquait fort de trouver bizarre que les toilettes qu'elle avait apportées de Londres soient transportées ainsi dans une simple corbeille ouverte.

Elle savait cependant qu'il n'y avait aucun moyen disponible et qu'Abe tentait sa chance, comptant que M. Maigrin ne s'attendrait certainement pas à ce qu'elle s'échappe d'une manière aussi peu glorieuse.

Abe atteignit la dernière marche.

Il traversa le vestibule et passa devant la porte ouverte du salon.

A travers les joncs d'osier, Grania aperçut plusieurs chandelles allumées et crut distinguer le corps trapu de l'homme qu'elle haïssait, vautré dans un fauteuil, un verre à la main. Elle n'était pas cependant certaine de l'avoir réellement vu de ses yeux.

Abe suivait maintenant le couloir de la cuisine. Elle retint sa respiration, craignant d'entendre au dernier moment la voix de Roderick Maigrin.

Mais Abe continua d'avancer. Il franchit la porte de service et, sans s'arrêter, marcha jusqu'aux massifs de bougainvilliers qui grimpaient aux murs de la maison.

Enfin, il posa la corbeille par terre et Grania comprit qu'elle était sauvée, qu'elle pouvait maintenant rejoindre Beaufort sans que Roderick Maigrin en sache rien.

Abe dégagea le drap qui la recouvrait et elle vit ses yeux anxieux.

— Merci, Abe, chuchota-t-elle. Je vais courir au navire.

Il hocha la tête et murmura :

— J'apporte les malles plus tard.

Il les montra du doigt et Grania vit qu'il les avait cachées dans les buissons.

— Sois prudent, dit-elle et il sourit.

Puis, tandis que la terreur qu'elle refoulait déferlait sur elle comme une lame de fond, elle se mit à courir à perdre haleine, comme une folle, comme si déjà Roderick Maigrin la poursuivait dans les bois qui descendaient vers la baie.

5

Il faisait noir sous les arbres mais Grania ne pouvait pas s'arrêter de courir. Soudain, elle heurta un obstacle et, comprenant que c'était un être humain, elle poussa un petit cri de frayeur.

Mais à peine avait-il jailli de ses lèvres qu'elle devina qui était là.

– Ah... sauvez-moi! Sauvez-moi! supplia-t-elle dans un souffle, craignant d'être entendue.

– Que s'est-il passé? Que vous est-il arrivé? demanda le comte.

Pendant un moment, essoufflée, Grania ne put répondre.

Elle savait seulement que Beaufort était là et, sans réfléchir, elle se rapprocha de lui pour enfouir sa figure contre son épaule.

Lentement, presque comme s'il agissait à contre-cœur, il la prit dans ses bras.

Ce fut pour Grania un intense réconfort et elle réussit enfin à s'expliquer :

– Il... il est venu me chercher... Je dois être... ma-riée demain... et j'ai cru que jamais je ne pourrais m'échapper.

– Mais vous avez réussi. Ma vigie a vu de la

lumière à vos fenêtres et je venais aux renseignements.

– Je croyais que jamais... jamais je ne pourrais m'évader... mais Abe m'a emportée... dans une corbeille à linge.

Elle pensait, tout en parlant, que ce détail paraîtrait amusant plus tard mais elle était encore si terrifiée et haletante d'avoir couru qu'elle ne parvenait pas à avoir un discours cohérent.

– Maigrin est là? demanda le comte.

– Il... il m'attend.

Beaufort ne répondit pas. Il la fit simplement pivoter dans la direction du navire et, un bras autour de ses épaules, il la conduisit vers la rade.

Dès l'instant qu'il était près d'elle, elle s'apaisait.

Et puis elle se sentait trop tremblante, trop faible pour réfléchir.

Comme s'il le comprenait, il la soutint pour monter sur la passerelle et la franchir, au cas où elle perdrait l'équilibre.

Ils s'arrêtèrent sur le pont et Grania crut tout d'abord qu'ils s'y trouvaient seuls.

Puis elle vit un homme dans les haubans et pensa que c'était la vigie dont le comte avait parlé.

Elle se retourna pour contempler la maison et se rendit compte que les arbres et les fourrés la cachaient complètement. Seul l'homme en haut du mât avait pu voir les lumières et alerter le comte.

Ils descendirent dans la cabine où elle comprit que lorsque l'alerte avait été donnée, il était déjà couché.

Les draps étaient rejetés. A la lumière d'une lanterne, elle vit qu'il ne portait qu'une chemise de batiste légère, ouverte au cou, et un pantalon sombre.

Comme il la contemplait, elle prit conscience de sa tenue, de ses cheveux dénoués tombant sur ses épaules. Elle n'avait pas songé à se coiffer quand elle s'était habillée en hâte, sur l'ordre de Roderick Maigrin.

Le comte ne disait rien. Grania lança la première chose qui lui passa par la tête :

– Je ne peux pas retourner là-bas!

– Non, bien sûr. Mais où est votre père?

– Il n'était pas assez... il n'était pas en état d'accompagner M. Maigrin.

Elle baissait les yeux mais il n'était point besoin d'explications pour qu'ils comprennent tous deux que le comte de Kilkerry était ivre et que c'était la raison pour laquelle il était resté à Maigrin House.

– Asseyez-vous, dit brusquement le comte. J'ai à vous parler.

Docilement, et aussi parce que ses jambes ne la soutenaient plus, Grania s'assit dans un des profonds fauteuils.

Deux lanternes étaient accrochées dans la cabine et elle vit que les hublots étaient fermés par des volets de bois qu'elle n'avait pas remarqués dans la journée. Aucune lumière ne filtrait donc à l'extérieur.

Le comte hésita un moment puis, toujours debout, il dit à Grania :

– Je veux que vous réfléchissiez sérieusement à ce que vous me demandez de faire.

Elle ne répondit pas mais le regarda avec appréhension, craignant un refus.

– Vous êtes bien sûre, reprit-il, qu'il n'y a personne dans l'île chez qui vous pourriez vous cacher? Personne qui vous protégerait des rebelles?

– Il n'y a personne, dit-elle avec simplicité.

– Et nulle part, dans d'autres îles, chez l'un ou l'autre?

Grania baissa la tête.

– Je sais que je suis une charge pour vous et que je n'ai pas le droit de vous demander de me protéger. Mais pour le moment, j'ai du mal à penser à... à autre chose qu'à ma terreur.

Elle songea, tout en parlant, qu'elle exprimait bien mal ses sentiments; en réalité elle ne voulait qu'une chose : rester auprès du comte.

Puis elle se dit que c'était là, de sa part, une conduite très répréhensible : elle le connaissait à peine et il lui avait fait comprendre clairement qu'elle n'avait aucune place dans sa vie.

Comme elle estimait qu'il devait deviner ce qu'elle pensait, elle leva les yeux vers lui et murmura :

– Je suis navrée... je suis vraiment navrée de vous demander cela.

Il sourit et elle eut l'impression que toute la cabine s'illuminait.

– Il n'y a aucune raison d'être navrée, à mon point de vue, dit-il, mais c'est au vôtre que je pense... Toute votre vie est devant vous et si votre mère avait vécu, vous auriez trouvé votre place dans la haute société londonienne. C'est une solution déraisonnable que d'être la seule femme à bord d'un vaisseau de pirates.

– Oui, mais... c'est là que je veux être, murmura Grania.

– Vous en êtes bien sûre?

– Tout à fait.

Elle éprouvait une envie irrésistible de se lever et de s'approcher de lui, de se blottir contre lui comme tout à l'heure. Elle voulait sentir sa force, retrouver le sentiment de sécurité qu'il lui apportait.

Ce désir était si violent que le rouge lui monta aux joues; elle se détourna.

Comme si elle lui avait dit ce qu'il voulait savoir, le comte déclara :

– Très bien. Nous lèverons l'ancre à l'aube.

– Vous voulez dire... C'est bien vrai?

– Dieu seul sait si j'ai raison, bougonna-t-il, mais je dois vous protéger. Cet homme est indigne d'une femme de qualité.

Grania laissa échapper soudain un cri d'horreur.

– Et s'il nous découvre? S'il venait ici, en se rendant compte que je ne suis plus dans la maison?

– Ce n'est guère probable et s'il surgit, je m'occuperai de lui. Le vent est tombé et il est impossible de faire voile avant demain.

– Il ne pourra soupçonner qu'il y a un navire dans la baie, murmura Grania comme pour se rassurer. Et s'il venait dans notre direction, Abe nous avertirait.

– Je n'en doute pas.

– Quand M. Maigrin sera parti, Abe apportera mes malles. Il les a cachées dans le jardin.

– Je vais demander à la vigie de le guetter, dit le comte en quittant la cabine.

Quand il fut parti, Grania joignit les mains et fit une prière d'action de grâces :

« Merci, mon Dieu, de me laisser rester avec lui! Merci, mon Dieu, pour ce navire qui était là quand j'en avais tant besoin. »

Elle songea que sans lui elle aurait dû fuir dans la jungle et s'y cacher. Et sans doute l'aurait-il retrouvée. Peut-être avec des chiens, ou en envoyant ses esclaves à sa poursuite.

« Merci, mon Dieu... Merci pour... le comte! » pensa-t-elle en l'entendant revenir.

Il entra et, une fois de plus, Grania résista à l'envie de courir se jeter dans ses bras.

– Il y a encore de la lumière dans la maison, dit-il. Je suppose que votre visiteur est toujours là.

A ce moment, on entendit au-dehors un léger sifflement.

– Ah! Ce doit être pour nous annoncer l'arrivée d'Abe.

Grania se leva d'un bond.

– J'espère qu'il va bien! J'ai eu grand-peur qu'en découvrant ma disparition M. Maigrin ne passe sa fureur sur Abe...

Elle suivit le comte sur le pont, en refermant avec soin la porte de la cabine.

On y voyait assez bien, grâce au clair de lune, et quand elle s'approcha de la rambarde, elle aperçut Abe au bord de l'eau, une des malles sur son épaule. Il monta à bord.

– Que se passe-t-il, Abe?

– Tout va bien, milady. M. Maigrin, il dort.

– Il dort!

Abe sourit de toutes ses dents.

– Un peu de poudre dans le dernier verre. Il dort maintenant jusqu'à demain. Il se réveille avec la tête grosse comme ça!

– Comme tu as été avisé, Abe!

– Très avisé, reconnut le comte.

– J'apporte les bagages, reprit Abe. Tu t'en vas, milady, tu ne reviens pas avant que tout soit sûr.

– C'est ce que je vais faire, dit-elle. Mais toi? J'ai peur que M. Maigrin ne te fouette.

– Risque rien, milady, assura Abe. Il ne me trouvera pas.

Grania savait qu'il y avait beaucoup d'endroits dans l'île où Abe pouvait se cacher.

– Je vais chercher les autres malles et Joseph prend la voiture, dit Abe.

Grania s'étonna.

– Où va-t-il la conduire?

Le sourire d'Abe s'élargit et elle vit briller ses dents blanches au clair de lune.

– Quand M. Maigrin se réveille, il pensera que tu es allée auprès du maître. Joseph laissera les chevaux là-bas.

– Quelle excellente idée, Abe! Et même s'il croit que je me cache de lui, M. Maigrin me cherchera dans les environs de sa maison.

Abe éclata d'un rire presque enfantin. Puis il répéta :

– Je vais chercher les autres malles.

– Attends une minute, dit le comte. Je vais demander à quelqu'un de venir avec toi.

Il parla à sa vigie qui glissa le long du mât et rejoignit Abe sur la passerelle.

Le comte souleva la malle de Grania et la porta vers la cabine.

Elle le précéda en courant pour lui ouvrir la porte et, quand ils furent entrés, elle protesta :

– Je ne peux pas prendre votre cabine! Il doit y avoir un autre coin où je pourrai dormir.

– Vous êtes mon invitée et c'est ici que vous dormirez, déclara-t-il fermement. J'espère que vous vous y trouverez bien.

Grania laissa fuser un petit rire de bonheur.

– J'y serai très bien... ct tout à fait en sécurité. Comment puis-je vous remercier d'être si bon pour moi?

Il ne répondit pas, mais ils se regardèrent et elle eut le sentiment qu'il lui faisait comprendre qu'il était aussi heureux qu'elle et que toute parole eût été superflue.

Comme son expression l'intimidait, Grania dit vivement :

– Je dois donner de l'argent à Abe. J'en ai un peu, dans une de mes malles.

Elle avait caché l'argent rapporté d'Angleterre, parce qu'elle avait peur que son père ne le lui prenne et qu'elle se retrouve sans rien. Lorsque sa mère était tombée malade, elle avait confié à Grania :

– Ma chérie, je veux retirer de la banque tout l'argent qu'il me reste.

– Pourquoi, maman ?

Il y avait eu un long silence, comme si la comtesse réfléchissait à ce qu'elle devait dire. Puis, sentant probablement que ce serait une erreur de feindre, elle déclara :

– Tu dois avoir de l'argent à toi, un argent qui ne sera pas jeté sur des tables de jeu ni dilapidé à boire. Cela paiera ton trousseau quand tu te marieras et assurera ton indépendance... si les choses vont mal.

Elle ne donna pas d'autres explications et, voyant sa faiblesse, Grania pensa qu'il importait avant tout de faire ce qu'elle voulait sans poser plus de questions.

– Je comprends, maman. Ne m'en dites pas plus. Je ferai exactement ce que vous désirez.

Ce même jour, elle était allée à la banque et avait retiré les quelques centaines de livres qui restaient à sa mère.

– Est-ce vraiment sage, milady ? avait demandé le directeur. Garder tant d'argent par-devers vous ?

– Je vais le mettre en lieu sûr, promit Grania.

Le banquier l'avait sans doute jugée imprudente mais à présent c'était une joie pour elle de pouvoir donner de quoi vivre à Abe et de payer de vieux serviteurs qui depuis longtemps sans doute ne recevaient plus de gages.

— Je vais veiller à cela, proposa le comte.

— Certainement pas, répliqua-t-elle. J'ai ma fierté. J'ai de l'argent et c'est ainsi que je veux le dépenser.

Elle songeait que lorsque sa mère avait parlé de trousseau elle n'imaginait certainement pas que sa fille risquait d'épouser un homme qu'elle avait toujours méprisé.

Le comte défit les courroies de la malle et l'ouvrit. Grania retrouva l'argent, là où elle l'avait caché, tout au fond.

Elle compta quinze souverains d'or en pensant que c'était là une somme qui permettrait aux vieux serviteurs de survivre un certain temps.

Le comte avait quitté la cabine et quand elle eut glissé les pièces dans une petite bourse, elle monta le rejoindre.

Il guettait Abe et quand celui-ci apparut avec le matelot français, qui portait aussi une malle, Grania eut l'impression que le comte était soulagé : il avait peut-être eu peur que Roderick Maigrin, réveillé, ne les ait suivis.

Les malles furent transportées à bord et Grania prit Abe à part.

— Voilà de l'argent, Abe. C'est pour toi et pour ceux de la plantation qui, à ton avis, l'ont mérité. (Elle lui mit la bourse dans la main et poursuivit :) Quand M. Maigrin aura renoncé à me chercher, fais dégager par les esclaves toutes les broussailles autour des muscadiers. Quand le calme sera revenu, nous en planterons davantage et j'espère que nous aurons une récolte qui rapportera plus d'argent que nous n'en avons eu dans le passé.

– Bonne idée, milady.

– Prends bien soin de la maison, Abe, jusqu'à mon retour.

– Tu reviens. Tu manqueras au maître.

– Oui, bien sûr, dit Grania, mais seulement quand je ne risquerai plus rien.

En disant cela elle se retourna et vit que le comte n'était pas loin.

– Comment saurons-nous quand nous pouvons revenir sans danger? lui demanda-t-elle.

– Nous tâcherons d'avoir des nouvelles de votre père, mais nous devons nous assurer que les rebelles n'ont pas pris Saint-George's ainsi que d'autres parties de l'île.

– Si pas de danger, monsieur, dit Abe, je laisse un signe.

– Voilà ce que j'allais suggérer.

– Si pas de risques venir ici, je hisse un drapeau blanc au portail.

– Et s'il y a du danger? demanda le comte.

– Si les rebelles ou M. Maigrin sont dans la maison, drapeau noir.

Grania savait que les drapeaux ne seraient que des chiffons blancs ou noirs au bout d'un bâton, mais cela ne nuirait pas à la clarté du message. Elle tendit la main à Abe.

– Merci, Abe, tu as veillé sur moi depuis que je suis toute petite et je sais que tu le feras toujours.

– Vous serez tout à fait en sécurité avec M. Beaufort, milady.

Il serra la main de Grania et s'apprêta à partir.

– Je t'en prie, Abe, sois prudent, prends bien soin de toi, supplia-t-elle. Je ne veux pas te perdre.

Il lui adressa un sourire confiant et elle devina

que, dans un sens, il avait beaucoup aimé l'aventure et même le danger des dernières heures.

Quand il eut disparu sous les pins, le comte dit à Grania :

– Maintenant vous êtes sous mon commandement et je vais vous donner vos ordres.

Grania rit légèrement.

– Bien, capitaine!

– Vous allez vous coucher et dormir. Je pense que vous avez vécu assez de drames pour une nuit!

Elle lui sourit et il passa devant elle pour lui ouvrir la porte de la cabine. Le matelot qui avait accompagné Abe apporta les malles et les rangea dans un coin.

– Voulez-vous les défaire tout de suite? demanda le comte.

– Oh non. J'ai tout ce qu'il me faut dans celle que j'ai déjà ouverte.

Le comte souffla une des lanternes suspendues au plafond et décrocha l'autre pour la poser à côté du lit.

Il souleva le loquet et ouvrit la petite porte de verre pour que Grania puisse éteindre aisément la flamme.

– Avez-vous besoin d'autre chose?

– Non, de rien d'autre, merci. Et... merci encore. Je suis si heureuse d'être ici que j'ai envie de vous remercier inlassablement.

– Vous aurez le temps de me remercier demain, mais pour le moment il est important que vous vous reposiez. Bonne nuit, mademoiselle, dormez bien.

– Bonne nuit, capitaine, répondit Grania.

Et elle resta seule.

Quand Grania s'éveilla, elle sentit le balancement du navire, elle entendit le grincement des vergues, le sifflement du vent dans les haubans et, dans le lointain, des voix et des rires.

Pendant quelques instants, elle se demanda où elle était, puis elle se souvint qu'elle naviguait en mer, loin de Roderick Maigrin et de la peur qui avait pesé comme une pierre sur son cœur.

« Je suis sauvée! Sauvée! »

Elle eût voulu pouvoir le crier. Elle savait qu'elle était heureuse parce qu'elle était avec le comte.

Elle s'était endormie très consciente d'avoir la tête sur l'oreiller de Beaufort, d'être couchée là où il avait dormi.

Elle se sentait tout près de lui, comme lorsqu'elle l'avait heurté dans la nuit et avait enfoui sa figure contre son épaule. Elle avait senti alors la chaleur de son corps avant même de connaître la force de ses bras et, cette nuit, elle avait rêvé qu'il l'enlaçait encore.

Elle s'assit dans le lit et repoussa ses cheveux de son front.

Elle était certaine d'avoir dormi longtemps. Il devait être tard mais cela n'avait aucune importance.

Il n'y avait pas de pasteur qui l'attendait, pas de Roderick Maigrin prêt à l'étreindre.

– Je suis sauvée! s'exclama-t-elle tout haut et elle se leva.

Une fois habillée, elle eut faim. Mais elle ne se pressa pas.

Elle trouva un petit miroir parmi ses affaires et consacra un long moment à se brosser les cheveux et à les coiffer comme elle le faisait à Londres – une coiffure que sa mère trouvait très seyante.

Puis elle choisit une de ses plus jolies robes et ce fut seulement quand le miroir lui dit qu'elle était gracieuse qu'elle ouvrit la porte au grand soleil éclatant.

Le pont qui lui avait paru hier désert grouillait maintenant d'activité.

Il y avait des hommes dans les haubans, d'autres aux cordages, les voiles se gonflaient au vent du large. La mer bleue étincelait et des mouettes tournoyaient au-dessus du navire.

Grania regarda autour d'elle. Elle ne cherchait qu'un seul homme et quand elle le vit, son cœur battit plus fort.

Il était à la barre et elle trouva qu'avec ses deux mains sur la roue, la tête levée comme s'il scrutait l'horizon lointain, aucun homme mieux que lui ne pouvait donner une telle impression de maîtrise et de souveraineté!

Elle allait le rejoindre quand il l'aperçut, confia la barre à un matelot et s'approcha d'elle.

Il l'examina des pieds à la tête, avec un léger sourire, comme s'il devinait qu'elle avait cherché à se faire belle et l'appréciait.

— Je suis très en retard, dit Grania en pensant qu'il lui fallait parler.

— Il est bientôt midi. Voulez-vous attendre le déjeuner, ou prendre maintenant le petit déjeuner que vous avez manqué?

— J'attendrai, dit-elle parce qu'elle voulait rester près de lui.

Il la prit par le bras et l'escorta le long du pont, en s'arrêtant tous les quelques pas pour lui présenter les hommes d'équipage.

— Voici Pierre... Jacques... André... et Léon.

Grania apprit par la suite que trois de ces hommes étaient très riches, avant de quitter la Martinique.

Deux d'entre eux étaient des planteurs comme le comte et avaient possédé de nombreux esclaves et le troisième, Léon, était un des plus grands avocats de Saint-Pierre, la capitale.

Elle devait apprendre aussi qu'ils avaient le courage de ne jamais se plaindre de leur sort et qu'ils restaient optimistes, certains qu'un jour la roue de la fortune leur serait favorable et qu'ils retourneraient chez eux.

Les autres étaient les serviteurs personnels du comte et de ses amis; il y avait aussi plusieurs jeunes clercs de l'étude de Léon, tous profondément reconnaissants à Beaufort d'avoir pu fuir avec lui alors qu'ils risquaient d'être jetés en prison ou forcés de servir l'ennemi.

Durant les deux premiers jours en mer, Grania découvrit que c'était non seulement un navire actif mais aussi heureux.

Dès l'aube, et jusqu'à l'extinction des feux, l'équipage chantait et riait en travaillant.

Aucun des hommes n'était matelot de métier et les manœuvres les plus simples mobilisaient non seulement leur intelligence mais des muscles dont ils n'avaient pas fait usage jusque-là.

Ils semblaient en faire un jeu et souvent Grania se penchait à la dunette pour les observer, les écouter chanter ou tirer à pile ou face pour savoir qui grimperait aux mâts et sur les vergues.

Cependant, elle remarqua que même pour ses amis, le comte apparaissait toujours comme le commandant, le chef.

Elle avait l'impression, et elle était certaine de ne pas se tromper, qu'ils avaient autant qu'elle confiance en lui. Il leur apportait un sentiment de sécurité.

En montant à bord, elle avait cru qu'elle serait souvent seule avec Beaufort, mais il n'en fut pas ainsi.

Il avait beaucoup à faire et, toujours, il semblait à l'affût du danger.

Chaque fois que la vigie annonçait une voile à l'horizon, ils viraient de bord. Toutefois, Grania n'aurait pas juré qu'il aurait agi ainsi si elle n'avait pas été là.

Elle avait pensé aussi qu'ils prendraient leurs repas ensemble, mais elle apprit que les trois meilleurs amis du comte dînaient toujours avec lui et que le repas de midi n'était qu'un en-cas pris entre deux manœuvres.

Henri, le chef ou le « maître-coq » comme disaient les marins français, préparait des bols de soupe que les hommes mangeaient en travaillant, et aussi du fromage ou du pâté sur de longues tranches de pain français.

Grania mangeait comme les autres, sur le pont ou, quand elle était lasse du soleil, seule dans la cabine en lisant un livre. Elle trouvait les ouvrages du comte fort intéressants mais aussi un peu singuliers.

Bien sûr, elle s'était douté qu'il devait apprécier Rousseau et Voltaire mais elle ne s'attendait pas à trouver dans sa bibliothèque tant de volumes de poésie, et même de poésie anglaise, encore moins des ouvrages religieux.

« Il doit être catholique », se dit-elle.

Peut-être était-ce l'air du large ou le mouvement du navire, ou encore parce qu'elle était heureuse, mais Grania dormait paisiblement et sans rêves, comme lorsqu'elle était enfant, et se réveillait le cœur battant de joie à la naissance d'un nouveau jour.

Un après-midi enfin, après la grosse chaleur, ils arrivèrent en vue de Saint-Martin.

La veille, au dîner, le comte et ses amis avaient dit à Grania que le plus petit territoire du monde était partagé entre deux Etats souverains.

– Pourquoi? demanda-t-elle.

Léon, l'homme de loi, rit et expliqua :

– Selon la légende, les Hollandais et les Français prisonniers de guerre, amenés dans l'île pour détruire le fort espagnol et d'autres bâtiments, sortirent de leurs cachettes après la déroute des Espagnols et s'aperçurent qu'ils avaient une île à se partager.

– Par des moyens pacifiques, intervint Jacques.

– Ils en avaient assez de se battre, ajouta le comte.

– Le problème de la frontière fut tranché par une épreuve de marche.

Grania éclata de rire.

– Comment cela?

– Un Français et un Hollandais, expliqua Léon, partirent du même point et firent le tour de l'île dans des directions opposées. Il avait été convenu que la frontière serait tracée à travers l'île, tout droit à partir de leur point de rencontre.

– Quelle merveilleuse idée! s'exclama Grania. Pourquoi ne peut-on faire une chose aussi simple dans les autres îles?

– Parce que les autres sont bien plus grandes, dit Léon. Le Français, stimulé par le vin, marchait plus vite que le Hollandais, alourdi par sa bière et son genièvre. (Tous les hommes rirent mais Léon poursuivit sérieusement :) Quelle que soit l'origine de la frontière, les Français et les Hollandais ont vécu depuis en parfaite harmonie.

– Voilà qui me paraît très raisonnable, déclara Grania.

Pour la première fois depuis qu'elle était à bord, le comte resta auprès d'elle après le départ de ses amis. Grania le regarda d'un air étonné.

– J'ai une suggestion à vous faire, dit-il, mais j'ai un peu peur qu'elle ne vous plaise pas.

– De quoi s'agit-il? demanda-t-elle avec appréhension.

Le comte ne répondit pas tout de suite et elle s'aperçut qu'il examinait ses cheveux.

– Il y a quelque chose... quelque chose ne va pas?

– Je pensais que vous êtes merveilleusement belle et que ce serait pour moi un péché de vous demander de changer, en quelque façon que ce soit, mais il s'agit d'une chose que je juge importante.

– Quoi donc?

– Je dois songer à vous et pas seulement à votre sécurité mais à votre réputation.

– Comment cela?

– Quand nous arriverons à Saint-Martin, même s'il est vrai que ma maison est très isolée, vous imaginez aisément que sur un territoire de quelques centaines d'arpents à peine, tout se sait et que les rumeurs circulent vite.

Grania acquiesça.

– C'est pourquoi je pense que vous devriez changer d'identité.

– Vous voulez dire... que je dois cacher que je suis anglaise?

– Les Français, même à Saint-Martin, ont un sens patriotique aigu.

– Alors pourrais-je être française, comme vous?

– C'est naturellement ce que je voudrais, répondit le comte, et j'ai pensé que je pourrais vous présenter comme ma cousine, Mlle Gabrielle de Vence.

– Je serais enchantée d'être votre cousine!

– Il y a une difficulté.

– Laquelle?

– Vous n'avez pas du tout le type français. Vous êtes terriblement anglaise.

– J'ai toujours cru que mes cils, qui sont foncés, disaient mon origine irlandaise.

– Mais vos cheveux sont comme le soleil et aussi flamboyants que l'Union Jack.

Grania rit.

– Me voilà bien insultée, si vous les voyez en rouge, blanc et bleu!

– C'était à une autre couleur que j'avais songé, dit le comte sans sourire.

Grania resta bouche bée de stupéfaction.

– Me demanderiez-vous de... de me *teindre* les cheveux?

– J'en ai déjà parlé à Henri et il a préparé ce qu'il appelle un « rinçage », qui partira aisément quand vous pourrez révéler votre vraie nationalité.

Grania ne parut pas convaincue et le comte poursuivit:

– Je vous promets que ce n'est pas noir ni d'aucune teinte déplaisante. Cela changera simplement l'or éclatant de vos cheveux en une nuance un peu plus banale chez les Françaises, bien que jamais, je le crains, elles n'aient votre teint clair et cette peau douce comme un pétale de camélia.

Grania sourit.

– C'est très poétique.

– J'ai du mal à ne pas l'être quand je suis près de vous. En même temps, Grania, comme vous me l'avez fait observer, les Français sont raisonnables et réalistes et c'est ce que nous devons être tous les deux.

– Oui... Bien sûr.

Mais elle répugnait à se teindre les cheveux, craignant de paraître moins séduisante aux yeux du comte.

Henri entra dans la cabine pour lui expliquer comment elle devait s'y prendre et, pour commencer, il trempa une des mèches de Grania dans le liquide qu'il avait apporté dans un pichet. Quand il la retira, elle vit que l'or de ses cheveux s'était terni et assombri.

– Non, non! Je ne pourrai jamais! s'écria-t-elle.

Il posa le petit pichet et en prit un autre plein d'eau douce; de nouveau il plongea la mèche et l'agita un moment puis il la ressortit.

La teinte châtaine avait disparu.

– Comme vous êtes habile, Henri!

– C'est une très bonne teinture, dit-il avec fierté. Quand la guerre sera finie, j'en mettrai en vente et je ferai fortune.

– Je n'en doute pas un instant!

Henri expliqua que s'il avait utilisé du brou de noix, ou même une décoction de noix muscade, il aurait fallu des mois pour retrouver la teinte normale.

– Ceci est différent, dit-il, et un jour, vous verrez, mademoiselle, à Paris tout le monde réclamera la Couleur Rapide d'Henri!

– Je suis ravie, Henri, répliqua Grania en riant, d'être la première à l'essayer.

Henri apporta une cuvette et une serviette et lui teignit les cheveux. Quand elle se regarda dans une glace, bien plus grande que son petit miroir à main, elle pensa tout d'abord qu'elle avait l'air d'une étrangère, et pas particulièrement digne d'attention.

Et puis elle s'aperçut que si sa peau paraissait claire auparavant, maintenant elle semblait irradier comme un pétale de fleur et le contraste avec les cheveux foncés lui donnait un air quelque peu mystérieux.

Le lendemain matin, Grania sortit assez timidement sur le pont mais les amis du comte ne cachèrent pas leur admiration.

Ils la complimentèrent si bruyamment qu'elle rougit et leur échappa en courant. Quand elle découvrit le comte, il était à la barre et il lui sourit.

– Je vois que nous avons une nouvelle parente fort séduisante. Vous allez indiscutablement enrichir les annales des comtes de Vence!

– J'avais peur que vous n'ayez honte de moi.

Il répondit d'un sourire et par un regard qui disait bien mieux que des mots qu'il l'admirait toujours autant. C'était tout ce qu'elle voulait.

Elle resta près de lui et il ne fut pas long à comprendre qu'elle aimerait qu'il lui montre comment gouverner le navire.

Ce ne fut pas tant la joie de faire une chose nouvelle qui fit battre le cœur de Grania que la présence du comte derrière elle qui, pour l'aider, avait mis ses mains sur les siennes, sur les poignées de la roue.

Elle le sentait presque contre elle et avait l'impression, alors que tous deux regardaient l'horizon, qu'ils naviguaient au delà du bord du monde en laissant le passé derrière eux.

Le comte dut la quitter, tout de même, et elle se sentit terriblement seule.

Elle avait été si heureuse, ces derniers jours,

qu'elle avait peur que tout change en arrivant à Saint-Martin.

Grania suivait des yeux le comte, sur le pont inférieur; distraite, elle perdit un instant le contrôle de la roue et le vaisseau fit une embardée sous le vent.

Aussitôt, un des hommes d'équipage se précipita pour le redresser. Grania lui abandonna la barre et descendit, espérant retrouver le comte.

Elle comprit alors soudain qu'elle ne pouvait se passer de lui, qu'elle avait besoin de le sentir près d'elle et que chaque minute de séparation était une souffrance.

« Mais qu'est-ce que j'ai? se demanda-t-elle. Comment puis-je éprouver ce sentiment? »

La réponse lui vint tout de suite à l'esprit, comme si elle lui avait été tirée à bout portant par un des canons montés sur chaque bord.

Elle était amoureuse!

Amoureuse d'un homme qu'elle ne connaissait que depuis quelques jours, un homme qui représentait pour elle la sécurité mais qui était, en fait, un pirate, un proscrit, un homme dont la tête était mise à prix, déclaré hors-la-loi non seulement par les Anglais mais aussi par les Français!

« Quoi qu'il soit, je l'aime! » répliqua Grania à son cœur.

Et comme elle ne pouvait supporter d'être éloignée de lui une minute de plus, elle alla le rejoindre.

6

Grania constata que Saint-Martin n'était pas aussi belle que Grenade aux montagnes escarpées et à la végétation tropicale, mais quand même très séduisante avec ses plages dorées.

Elle remarqua aussi, tandis que le navire longeait la côte, bon nombre de petites baies et de criques charmantes.

Dans l'une d'elles, ils jetèrent l'ancre et si l'endroit n'était pas aussi protégé que Secret Harbour, c'était quand même un bon abri pour un pirate soucieux de se cacher.

Pendant que l'équipage carguait les voiles, le comte emmena Grania à terre et ils montèrent au sommet d'une petite falaise où la jeune fille découvrit une charmante maison.

Elle était petite et ressemblait aux anciennes demeures de Grenade, entourée par une véranda couverte de plantes grimpantes.

Le comte ne dit rien et Grania hésita, ne sachant si elle allait lui dire qu'elle trouvait la maison ravissante; elle devinait qu'il devait penser à sa maison de la Martinique et regretter qu'ils n'y soient pas.

Il ouvrit avec une clef. Quand ils entrèrent dans le

salon, après avoir traversé l'étroit vestibule, elle poussa une exclamation de surprise.

La pièce était meublée de meubles français marquetés et exquis : un secrétaire aux ferrures de bronze doré, une commode à dessus de marbre aux superbes pieds sculptés.

Les murs étaient ornés de portraits, ceux des ancêtres et de la famille du comte certainement, et elle devina que c'était là tous les biens qu'il avait pu sauver de la Martinique.

Il y avait aussi beaucoup d'objets d'art en porcelaine parmi lesquels elle reconnut des Sèvres, et le plancher était recouvert d'un bel Aubusson.

– C'est donc là que vous avez caché vos trésors! s'exclama-t-elle.

– Ils sont au moins en sécurité, ici.

– Je suis très, très heureuse que vous ayez pu les emporter.

Elle voulait faire le tour, pour admirer les portraits et les bibelots, mais il lui dit d'une voix changée :

– J'ai à vous parler, Grania. Ecoutez-moi, je vous en prie.

Elle leva vers lui des yeux interrogateurs et il reprit gravement :

– Vous m'avez demandé de vous protéger et c'est ce que je veux faire. Je vais aller maintenant chercher la femme qui s'occupe de cette maison en mon absence pour lui demander de venir coucher ici.

– Mais... pourquoi? Et... vous, où serez-vous?

– Vous devez comprendre que ce serait tout à fait inconvenant que je reste ici avec vous, répliqua le comte. Je dormirai à bord, avec mon équipage, et vous n'aurez rien à craindre.

Grania ne dit rien et, au bout de quelques instants, il reprit :

– Je n'ai pas besoin de vous dire que vous devez être prête à jouer votre rôle de Française à tout moment, et pour cela vous devez parler français et penser en français.

– J'essaierai, murmura-t-elle, mais je croyais que... maintenant que nous sommes ici, je croyais que nous resterions ensemble.

Elle parlait d'une voix implorante mais fut étonnée de voir que le comte ne la regardait pas; il avait détourné la tête et elle sentait qu'il allait dire que c'était impossible.

A ce moment, un cri retentit devant la maison, puis ce fut un bruit de pas précipités sur la véranda et Jean fit irruption dans le salon.

– Vite! Vite, monsieur! Un bateau en vue!

Tout en parlant sur un ton pressant, il indiquait le large.

– Restez ici! ordonna brusquement le comte à Grania.

Puis il disparut en fermant la porte sur lui.

Elle alla à la fenêtre et le vit courir vers la falaise, sur les talons de Jean.

Quand elle l'eut perdu de vue, elle continua de regarder par la fenêtre, bien qu'elle ne pût rien voir; elle avait peur qu'il ne soit en danger, elle aurait voulu être avec lui.

Elle savait qu'une voile à l'horizon était toujours une menace pour le comte. Durant toute la traversée, il y avait eu une vigie en permanence dans la hune et au premier signe d'un autre navire, on changeait de cap immédiatement.

Elle se demanda si on les avait vus entrer dans la baie, peut-être à partir d'un vaisseau de ligne anglais tentant d'aborder à Saint-Martin.

Le comte et ses amis ne pensaient pas que cela arriverait mais les Anglais risquaient toujours de changer d'idée et de vouloir ajouter un succès de plus à ceux déjà remportés dans les îles.

Tout cela était très inquiétant et Grania resta un long moment à la fenêtre, dans l'espoir de distinguer leur navire ou celui que Jean avait aperçu, mais il n'y avait devant elle que l'horizon bleu.

Tout devint plus indistinct encore à l'approche du crépuscule, alors que le soleil baissait et commençait à plonger dans la mer.

Grania avait envie de grimper sur une haute falaise pour voir ce qui se passait, mais le comte lui avait ordonné de rester là et, comme elle l'aimait, elle voulait lui obéir.

Au bout d'un moment, elle décida de visiter la petite maison mais elle avait du mal à penser à autre chose qu'aux périls qu'il courait peut-être.

Lentement, elle monta et découvrit une grande chambre de maître et plusieurs autres.

Elles étaient toutes admirablement meublées mais celle du comte avait un magnifique lit français à baldaquin, avec des rideaux de soie tombant d'un petit ciel de lit circulaire.

Elle se dit qu'il l'avait apporté de la Martinique, puis elle tomba en admiration devant une élégante coiffeuse, plus faite pour une femme que pour un homme.

Il y avait de petits chiffonniers de chaque côté du lit, qui devaient être l'œuvre d'un des plus grands ébénistes de France, et les tableaux n'étaient pas des portraits de famille mais d'aimables toiles signées Boucher.

Tout était si ravissant qu'elle pensa que c'était une chambre faite pour l'amour et cette idée la fit rougir.

Elle visita les autres pièces de l'étage puis, nerveusement, elle redescendit et découvrit une petite salle à manger avec d'autres portraits de famille du comte, et une cuisine qui devait enchanter Henri.

Il y avait aussi une petite pièce tapissée de livres et elle se dit qu'au moins elle ne manquerait pas de lecture.

Pour le moment, cependant, elle n'avait aucune envie de lire. Tout ce qu'elle voulait, c'était être avec le comte et elle retourna à la fenêtre, inquiète de sa longue absence.

Le soleil se couchait dans un flamboiement de gloire et quand ses derniers feux disparurent la nuit tomba très rapidement.

Les étoiles apparaissaient une à une et un fin croissant de lune se levait à l'horizon, mais Grania était plongée dans les ténèbres du désespoir à la pensée de ne jamais plus revoir le comte.

Et s'il avait levé l'ancre pour éloigner un vaisseau ennemi, s'il y avait eu bataille ? Et s'il avait été tué ou s'était noyé ?

Elle ne savait ce qui lui arriverait si elle restait seule. Elle n'aurait plus personne pour la protéger et l'aider.

De plus, ses bagages n'ayant pas été transportés à terre elle n'avait ni argent ni vêtements. Mais cela ne comptait guère à côté de la perte du comte.

Les yeux brûlants d'avoir longuement tenté de percer les ténèbres, elle traversa la pièce à tâtons et s'assit dans un fauteuil, la tête dans ses mains, tantôt priant, tantôt gémissant comme un petit animal sans défense pris dans quelque piège.

« Rendez-le-moi, s'il vous plaît, mon Dieu, rendez-le-moi ! » pria-t-elle.

Les ténèbres l'affolaient, elle se sentait perdue !

Soudain, alors qu'elle ne pouvait supporter plus longtemps l'incertitude et s'apprêtait à descendre vers la baie, la porte s'ouvrit et il reparut.

Elle ne le vit pas mais elle poussa un petit cri qui résonna dans la pièce et courut instinctivement vers lui.

Elle se jeta contre lui, lui noua les bras autour du cou et s'y cramponna en gémissant :

– Vous êtes revenu! J'ai cru que je vous avais perdu! J'avais peur... si désespérément peur de ne jamais vous revoir!

Les mots se bousculaient sur ses lèvres et parce qu'elle avait cru mourir de peur et que son retour lui apportait un soulagement tel qu'elle en défaillait, elle cria :

– Je vous aime et... et je ne peux pas vivre sans vous!

Le comte laissa tomber à terre ce qu'il apportait et l'enlaça.

Il la serra à lui couper le souffle, puis ses lèvres se posèrent sur les siennes.

En sentant sa bouche prisonnière, elle comprit que c'était ce qu'elle avait toujours voulu, toujours désiré tout en pensant qu'elle ne connaîtrait jamais ce bonheur.

Le baiser fut violent, exigeant, insistant et elle s'y abandonna de tout son cœur, de toute son âme, de tout son être.

La peur s'effaçait, remplacée par un inexprimable ravissement, une extase qui semblait remplir la pièce d'une lumière insoutenable.

L'émerveillement qu'elle ressentait fit comprendre à Grania que ce n'était pas simplement un amour humain mais quelque chose de plus parfait, de presque divin.

Quand le comte l'eut embrassée jusqu'à ce qu'elle ne soit plus elle-même mais se sente entièrement à lui, il redressa la tête et murmura d'une voix sourde :

– Ma chérie, je ne voulais pas cela.

– Je vous aime!

– Moi aussi, je vous aime. J'ai lutté contre cette passion, j'ai voulu m'interdire de vous la confier, mais vous avez réduit tout cela à néant.

– J'ai cru vous avoir perdu!

– Jamais, tant que je vivrai, répliqua-t-il. Ma chérie, j'ai tenté de vous protéger de moi-même et de mon amour.

– Vous... vous m'aimez?

– Naturellement, je vous aime! dit-il presque avec colère. Mais je ne le devrais pas plus que vous ne le devriez.

– Comment pourrais-je m'en empêcher? demanda Grania.

Il l'embrassa encore, la couvrit de baisers jusqu'à ce qu'elle se sente transportée en un paradis où il n'y avait plus ni problèmes ni difficultés, rien qu'eux-mêmes et leur amour.

Bien plus tard, le comte murmura :

– Laissez-moi allumer les chandelles, ma chérie. Nous ne pouvons rester éternellement ainsi, bien que je veuille continuer de vous embrasser.

– C'est ce que je veux, moi aussi, avoua Grania d'une voix haletante.

Il l'embrassa encore puis, se maîtrisant, il la lâcha et s'écarta de quelques pas, marchant vers une table au pied de l'escalier.

Il alluma une chandelle et Grania put le voir. Elle crut que son visage était illuminé d'un feu céleste.

Il ne la quittait pas des yeux mais, se refusant le bonheur de la reprendre dans ses bras, il emporta la chandelle et alla allumer celles du salon.

Quand la pièce fut éclairée, plus élégante que jamais, il lui dit :

– Pardonnez-moi de vous avoir bouleversée.

– Qu'est-il arrivé? Qu'était ce bateau? Etait-ce... un Anglais?

Il posa la chandelle et revint enlacer Grania.

– Je sais ce que vous avez pensé. Oui, c'est un navire anglais que mon équipage a aperçu mais il ne constitue pas un danger pour nous.

Elle poussa un soupir de soulagement et laissa retomber sa tête sur l'épaule du comte. Il lui baisa le front avant de reprendre :

– Mais, dans un sens, cela vous concerne peut-être.

– Moi?

– Il a dû y avoir une bataille non loin d'ici, il y a deux ou trois jours.

Grania avait du mal à être attentive, tant elle était heureuse entre ses bras.

« Il est près de moi et je suis en sécurité », se répétait-elle.

– J'ai lieu de penser qu'un vaisseau de ligne anglais, expliqua le comte, le H.M.S. *Heroic*, a été coulé, car le canot que Jean est venu nous signaler appartenait à ce navire. S'y trouvaient un officier et huit soldats.

– Des... des Anglais? demanda-t-elle nerveusement.

– Des Anglais, confirma le comte, mais ils étaient tous morts.

C'était mal, Grania le savait, mais elle ne put s'empêcher d'être soulagée à la pensée qu'il n'y avait plus de menace pour le comte et ses hommes.

– Nous ne pouvions rien faire pour eux, expliqua-t-il, sinon les ensevelir en mer, mais j'ai pris leurs papiers qui prouveront leur identité, si cela se révèle nécessaire... Le nom de l'officier, un capitaine de frégate, était Patrick O'Kerry.

Grania sursauta.

— Patrick O'Kerry?

— J'ai pensé qu'il était peut-être un de vos parents et je vous ai apporté ses papiers ainsi que sa tunique et son chapeau, au cas où vous voudriez les conserver.

Après un bref silence, Grania révéla :

— Patrick... était mon cousin. Je l'ai à peine connu... mais mon père sera bouleversé.

— Nous devrons le lui faire savoir un jour ou l'autre.

— Oui, naturellement. Il sera très affligé, non seulement parce que Patrick était son neveu mais aussi son héritier... Et maintenant il n'y a plus d'O'Kerry et le titre sera perdu.

— Oui, je comprends, ce sera un coup sévère pour votre père.

— Il n'y a pas grand-chose à hériter, certainement, mais papa est le quatrième comte. Maintenant, il n'y en aura pas de cinquième.

— J'en suis navré, murmura Beaufort. Je ne voulais pas vous attrister, ma chérie.

Comme il avait de nouveau les bras autour d'elle et les lèvres sur sa joue, Grania eut du mal à éprouver autre chose qu'une joie profonde.

En même temps, elle songeait que c'était un bien triste gaspillage d'une jeune vie.

Son cousin Patrick, qui était venu voir sa mère quand elles étaient à Londres, avait été tellement heureux d'être affecté à un nouveau vaisseau et de partir pour les Antilles! Sa mort était vraiment désolante.

Elle se rappelait ce qu'il avait raconté à sa mère sur son séjour dans les Indes Occidentales. Grania l'avait trouvé fort charmant mais il avait à peine fait attention à elle car elle n'était encore qu'une petite écolière.

– Ce que je trouve surprenant, reprit le comte, c'est que votre cousin était brun. J'aurais pensé que, dans votre famille, tout le monde avait votre blondeur.

Grania sourit un peu.

– Il y a des O'Kerry blonds, comme papa et moi, et aussi des bruns dont on dit qu'ils ont du sang espagnol.

Et, voyant la surprise du comte, elle expliqua :

– Quand les vaisseaux de l'invincible Armada sont venus pour envahir l'Angleterre et ont fait naufrage sur la côte sud de l'Irlande, beaucoup de marins espagnols ne sont jamais retournés chez eux.

Le comte sourit.

– Et ils ont trouvé les dames O'Kerry séduisantes...

– Sans doute, oui...

– Je comprends, mais je vous préfère blonde et un jour, ma toute belle, vous reprendrez votre visage anglais. Mais j'ai peur que, brune ou blonde, vous ne restiez française.

Grania le regarda sans comprendre.

– Acceptez-vous de m'épouser ? Je pensais pouvoir faire croire que vous étiez ma cousine et vous tenir à distance, mais vous avez fait si bien que...

– Je... je n'ai pas envie d'être tenue à distance, murmura Grania, et... et je veux être votre femme.

– Dieu seul sait quel genre de vie je puis vous offrir. Vous savez que je n'ai rien d'autre à vous donner que mon cœur.

– Je ne veux rien d'autre. Mais... êtes-vous sûr que je ne serai pas... encombrante et que vous ne regretterez pas de m'avoir épousée ?

– Impossible ! s'écria le comte. Je vous ai cherchée toute ma vie et maintenant que je vous ai trouvée je sais que je ne puis vous perdre, quoi que disent la raison et les convenances!

Il se remit à embrasser Grania et elle ne put que s'abandonner à ce qu'elle ressentait.

Au bout d'un long moment, le comte soupira :

— Dès qu'Henri arrivera pour préparer le dîner, j'irai voir le curé et veillerai à ce qu'il nous marie dès demain matin, à la première heure. Vous ne serez pas opposée à un mariage catholique, j'espère, mon amour? Cela paraîtrait très bizarre que ma femme appartienne à une autre Eglise.

— Dès l'instant que vous voulez bien de moi pour épouse, je me moque de l'Eglise où se déroulera la cérémonie, mais il se trouve justement que j'ai été baptisée dans la religion catholique.

Le comte la regarda avec stupéfaction.

— Vous parlez sérieusement?

Grania hocha la tête.

— Papa était catholique, maman, non. Ils se sont mariés dans une église catholique et j'y ai été baptisée.

Comme le comte témoignait toujours d'un vif étonnement, elle ajouta :

— Je crains que papa n'ait jamais été un très bon catholique, même quand nous vivions en Angleterre. Quand nous nous sommes installés à Grenade, il a compris que les Anglais étaient très hostiles au catholicisme à cause de leurs sentiments anti-français, alors il a cessé de se rendre à l'église.

Puis, croyant le comte choqué, elle expliqua vivement :

— Quand maman se rendait à Saint-George's, elle fréquentait l'église protestante et parfois elle m'emmenait avec elle le dimanche. C'était loin de la plantation et comme cela fâchait papa que nous le laissions seul, cela n'arrivait pas souvent.

Le comte la serra contre lui.

– Quand vous m'épouserez, mon cœur, vous deviendrez une bonne catholique et ensemble nous remercierons Dieu de nous avoir permis de nous trouver. Je sens que désormais il nous protégera tous deux.

– Je le sens aussi et vous savez que je ferais n'importe quoi pour vous plaire... tout ce que vous voudrez.

Sa voix ardente poussa le comte à l'embrasser de nouveau et ils ne se séparèrent qu'en entendant Henri pénétrer dans la cuisine pour préparer le dîner.

Lorsque le comte partit, Jean arriva avec une des malles de Grania et elle monta se changer.

Elle prit d'abord un bain rafraîchissant après la chaleur de la journée et protesta quand Jean lui dit qu'elle devait s'installer dans la chambre du maître, mais il insista, en déclarant que c'étaient les ordres du comte, ce qui coupait court à toute discussion.

En se déshabillant, elle n'avait qu'une idée : demain ils seraient l'un à l'autre ! Dieu l'avait non seulement sauvée de Roderick Maigrin mais il lui avait donné l'homme de ses rêves.

« Comment puis-je avoir autant de chance ? » se demandait-elle.

Ensuite, elle récita avec ferveur des prières catholiques, qui étaient probablement celles que faisait le comte.

Quand il revint, elle l'entendit se rendre dans une autre chambre où Jean avait préparé son habit de soirée.

Après avoir choisi une jolie robe, Grania se coiffa avec un soin tout particulier.

Elle regrettait de ne plus être blonde mais savait que cela n'avait guère d'importance puisque le comte l'aimait; elle se rappelait ce qu'il lui avait dit, qu'elle devait penser en français et essayer de se sentir Française.

– Lorsque je serai comtesse de Vence, dit-elle à son reflet dans la glace, il n'y aura plus besoin de faux-semblants et je porterai le plus beau titre du monde.

Elle se contemplait encore quand il frappa à la porte et entra dans la chambre.

– Je croyais que vous étiez prête, mon cœur.

Comme elle quittait le tabouret de la coiffeuse, il tendit les bras et elle courut s'y jeter.

Il ne l'embrassa pas mais il y avait dans ses yeux une expression d'une tendresse infinie.

– Tout est arrangé, annonça-t-il. Demain, vous serez ma femme. Nous dormirons ensemble dans le lit qui appartenait à mon grand-père et qui faisait si bien partie de ma maison que je n'ai pu l'abandonner.

– C'est ce que j'ai pensé, dit-elle. (Puis, incapable de croire à son bonheur, elle demanda :) Vous allez vraiment m'épouser?

– Vous serez ma femme et nous affronterons ensemble toutes les difficultés et tous les problèmes. (Regardant autour de lui, il ajouta :) Je pensais, en revenant de l'église, que pendant un certain temps au moins nous ne mourrions pas de faim.

Son regard s'était posé sur un des tableaux de Boucher et Grania poussa un petit cri.

– Vous n'avez pas l'intention de vendre ce tableau!

– J'en obtiendrai un bon prix des Hollandais de l'autre côté de l'île. Etant neutres, ils ont eu tout à gagner de la guerre.

— Mais vous ne pouvez vendre vos trésors de famille!

— Il n'est plus qu'un seul trésor pour moi, à présent, affirma-t-il.

Ses lèvres firent taire toute nouvelle protestation.

Ils descendirent en se tenant par la main et Jean leur servit un délicieux dîner. Quand ils eurent fini et se retrouvèrent seuls, le comte expliqua :

— Je me suis arrangé pour que la servante qui s'occupe du presbytère vienne dormir ici ce soir. Je ne voudrais pas que nous commencions notre vie conjugale en choquant ces dames de Saint-Martin, qui jasent comme toutes les commères du monde entier.

— Vous coucherez à bord?

— Dans le lit où vous avez dormi la nuit dernière. Je rêverai de vous et demain mes rêves seront réalité.

— Moi aussi, je rêverai.

— Je vous aime, dit-il. Je vous aime tant qu'à tout instant je me dis que je ne puis aimer davantage et pourtant il me suffit de vous regarder... Que m'avez-vous fait, ma douce, pour que pour la première fois de ma vie je sois amoureux comme un gamin?

— Mais vous avez dû aimer d'autres femmes? hasarda Grania.

Le comte sourit.

— Je suis français. Je trouve les femmes fort séduisantes mais contrairement à la plupart de mes compatriotes, j'ai résisté dans ma jeunesse à un mariage de convenance et je puis vous jurer que jamais je n'ai rencontré jusqu'à présent une femme avec qui je désire partager le reste de ma vie.

— Et si je vous déçois?

— Jamais vous ne le pourrez. J'ai su tandis que je

regardais ce que je croyais être votre portrait que vous étiez tout ce dont j'avais rêvé, et quand je vous ai vue j'ai compris que j'avais sous-estimé à la fois mon désir et ce que vous êtes capable de me donner.

– Vous... vous en êtes sûr?

– Absolument. Ce n'est pas tant ce que vous dites ou même ce que vous pensez, mon amour, mais ce que vous êtes. Votre douceur, que j'ai reconnue au premier regard, brille comme une flamme et vous enveloppe d'un halo de pureté et de bonté qui ne peut venir que de Dieu.

Grania joignit les mains.

– Vous me dites des choses si merveilleuses! Cela m'effraie et j'ai désespérément peur de ne pouvoir répondre à ce que vous attendez de moi. Déçu, peut-être lèverez-vous l'ancre et m'abandonnerez-vous?

Le comte secoua la tête.

– Sachez que j'ai cessé d'être un pirate. Après notre mariage, je parlerai à mes amis et nous trouverons un autre moyen de gagner notre vie... Comme je vous l'ai dit, je vendrai quelques-uns de mes biens pour que nous ne mourions pas de faim, et parce que je sais que Dieu ne nous abandonnera pas, nous pourrons peut-être retourner bientôt à la Martinique.

Il parlait avec une émotion qui fit monter des larmes aux yeux de Grania et elle tendit les mains vers lui.

– Je prierai, je prierai de toutes mes forces, et vous devrez m'instruire, mon chéri, pour que mes prières soient écoutées.

– Je sais qu'en la matière vous n'aurez pas besoin de leçons, mais il est d'autres choses que je veux vous apprendre et je crois que vous devinez lesquelles.

Grania rougit, puis elle murmura :

– J'espère que vous ne serez pas trop... insatisfait de votre élève.

Le comte quitta la table et, aidant Grania à se lever, il l'enlaça pour passer au salon.

La pièce était ravissante à la lueur des chandelles et la jeune fille se crut presque dans un château de France, ou dans un de ces palais décrits dans les livres que sa mère lui faisait lire pour qu'elle se perfectionne en français.

Elle eût voulu dire qu'elle ne pourrait supporter qu'aucun de ces magnifiques objets soit vendu, mais elle savait qu'elle aurait tort car cela attristerait Beaufort et lui ferait plus encore prendre conscience des sacrifices qu'il devrait consentir.

« Au moins, j'ai un peu d'argent », pensa-t-elle.

Elle savait que les souverains anglais, changés en livres françaises, feraient une somme considérable.

Elle sourit, parce qu'elle était heureuse de pouvoir apporter sa contribution à leur vie commune, et le comte demanda :

– Qu'est-ce qui vous fait sourire, adorable enfant?

– J'étais contente à la pensée d'avoir un peu d'argent par-devers moi. Demain, il sera légalement à vous mais avant que vous ne me disiez que vous le refusez, je vous propose de contribuer ainsi à ce que vous devez dépenser pour vos amis et votre équipage. Après tout, c'est par ma faute qu'ils ne peuvent plus continuer d'exercer leur métier... de pirates...

Le comte posa sa joue contre celle de Grania.

– Je vous adore, ma beauté, et je ne vais pas

discuter car, vous avez raison, c'est à cause de vous que nous devons nous assagir et nous conduire comme des citoyens respectables. Mais avant que nous vendions le navire, qui rapportera indiscutablement un bon prix, il faut retourner à Grenade pour apprendre à votre père la mort de votre cousin et aussi pour vous assurer qu'il est lui-même en sécurité.

– Le pouvons-nous? Je m'inquiète pour papa, d'autant plus qu'il est en compagnie de M. Maigrin.

– Nous irons tous deux, parce que les convenances l'exigent. Il me semble aussi que votre père doit être mis au courant du mariage de sa fille. Je crains cependant qu'il ne soit pas très satisfait d'apprendre qu'elle a épousé un Français.

Grania laissa fuser un petit rire.

– Mon père n'en sera pas particulièrement fâché. Il ne faut pas oublier qu'il est irlandais et que les Irlandais n'ont jamais aimé les Anglais.

Le comte rit aussi.

– J'avais oublié. Ainsi votre père voudra-t-il peut-être bien de moi pour gendre, quand le calme sera revenu, il pourra venir nous rendre visite à Saint-Martin et vous irez le voir à Grenade.

– Comme vous êtes bon de comprendre que j'estime, dans un sens, que je dois veiller sur papa!

Elle savait cependant que ce n'était qu'un rêve, car tant que son père persisterait dans son amitié pour Roderick Maigrin, il leur serait impossible de renouer de véritables liens.

Grania était sûre que si Maigrin apprenait qu'elle avait épousé un Français, il ferait tout pour se venger de lui, soit en le combattant les armes à la main soit en le dénonçant aux Anglais.

Cependant, elle voulait avoir des nouvelles de son père et peut-être trouverait-elle un prétexte pour le faire venir à Secret Harbour. Elle pourrait ainsi au moins lui dire au revoir, avant de retourner vivre à Saint-Martin.

Puis l'idée lui vint une fois de plus que le comte était vraiment d'une grande sensibilité, en allant de cette façon au-devant de ses vœux.

Et comme elle désirait de nouveau ses baisers, elle se nicha entre ses bras et lui offrit ses lèvres.

La servante du curé, une brave femme d'un certain âge, arriva dans la soirée, une lanterne à la main. Le terrain était accidenté derrière la maison.

— Je suis bien heureuse de vous connaître, mademoiselle, dit-elle à Grania. M. le curé vous envoie sa bénédiction et se fait une joie de vous marier à M. le comte demain matin à neuf heures et demie.

— Merci, madame, répondit Grania en français, et merci également de venir ici ce soir pour me tenir compagnie. C'est très aimable de votre part.

— Nous devons faire ce que nous pouvons pour ceux qui ont eu à souffrir des cruautés de la guerre.

Le comte prit congé, baisant les mains de Grania avant de retourner à bord.

Quand il fut parti, la femme dit avec chaleur :

— Voilà un bon gentilhomme et un très bon catholique, mademoiselle. Vous avez beaucoup de chance d'épouser un homme comme lui.

— Beaucoup de chance, en effet, madame, reconnut Grania, et j'en suis très reconnaissante à Dieu.

– Je prierai pour vous deux et je suis certaine que le bon Dieu vous donnera beaucoup de bonheur.

Grania n'en doutait pas un instant et elle resta longtemps éveillée dans le magnifique lit au baldaquin doré, songeant à la fortune qui lui souriait et sentant que sa mère voyait son bonheur.

« Comment aurais-je su... comment aurais-je pu deviner que je serais sauvée, au dernier moment, de cet horrible M. Maigrin? » se demandait-elle.

Elle se remit à adresser au ciel des prières d'action de grâces, un peu incohérentes car il était beaucoup question du comte et tout en priant elle revivait la douceur de ses baisers.

Quand elle s'endormit enfin, ce fut avec la certitude que Dieu veillait sur elle et que le lendemain serait un jour merveilleux.

Grania se réveilla très tôt, dans une impatience heureuse. Elle entendit du bruit au rez-de-chaussée : Jean ou Henri était déjà au travail.

Tandis que le soleil inondait la chambre, elle pensa que c'était de bon augure. Dehors, des oiseaux chantaient; dans le jardin, les vives couleurs des bougainvilliers rivalisaient avec celles de la vigne vierge qui montait à l'assaut de la véranda; au loin la mer était émeraude.

« Je ne rêve pas... c'est vrai... vraiment vrai! » pensa-t-elle joyeusement.

Elle n'avait pas de robe de mariée mais parmi ses toilettes il y avait celle que sa mère avait choisie pour sa présentation à la Cour.

Elle était blanche, ainsi qu'il convenait pour une « débutante », et avait été livrée après la mort de sa mère.

Grania s'était même alors demandé si elle ne devait pas essayer de la rendre car elle pensait ne jamais avoir l'occasion de la mettre. Puis elle s'était dit que ce serait humiliant et l'avait payée, mais à contrecœur.

En la retirant de la malle, elle vit qu'elle ferait aisément office de robe de mariée. Elle souhaita que Beaufort la trouvât à son goût.

Elle n'avait pas de voile et quand Grania en fit part à la gouvernante du curé qui était venue l'aider, la brave femme demanda à Jean de se rendre promptement au presbytère.

– Nous avons un voile que nous prêtons parfois aux jeunes mariées, dit-elle, si elles viennent à l'église coiffées d'une simple couronne que M. le curé ne juge pas assez digne de la maison de Dieu.

– Je serais heureuse de pouvoir l'emprunter.

– Ce sera un plaisir. Et je vous ferai une couronne bien plus jolie que tout ce que vous pourriez acheter.

La gouvernante envoya Henri dans le jardin et quand il revint avec une pleine corbeille de fleurs blanches, elle s'installa dans la chambre de Grania et tressa habilement une couronne.

Quand elle eut fini, rien n'était plus ravissant que le frais jasmin blanc souligné de ses petites feuilles vertes, et aucune couronne artificielle n'eût été aussi seyante.

Le voile en fine dentelle retombait doucement sur les épaules de Grania et lui donnait un aspect éthéré. Après avoir disposé la couronne, la gouvernante recula pour juger son œuvre et joignit les mains avec admiration.

– Quelle belle mariée vous faites, mademoiselle! Aucun homme ne pourrait rester insensible à une aussi jolie épouse.

– J'espère que vous dites vrai, murmura Grania avec simplicité.

Quand elle descendit au salon où le comte l'attendait, elle vit tout de suite à son expression qu'elle était tout ce qu'il avait espéré et même plus encore.

Il la considéra pendant un long moment avant de murmurer :

– Je n'aurais jamais cru qu'une femme puisse être aussi belle.

Elle lui sourit tendrement.

– Je vous aime !

– Je vous dirai plus tard à quel point je vous aime, répondit-il, mais en ce moment, je n'ose vous toucher. J'ai simplement envie de tomber à genoux et d'allumer des cierges, car non seulement je vous aime mais je vous adore.

– Vous ne devez pas parler ainsi, protesta Grania. Cela m'intimide et me fait craindre de... n'être pas digne de vous.

Il sourit avec indulgence, comme si elle avait dit quelque bêtise. Puis il lui baisa la main et annonça :

– Notre voiture nous attend derrière la maison. Comme les hommes d'équipage ont estimé que les chevaux n'étaient pas assez beaux, ils vont nous conduire eux-mêmes à l'église.

Sur le seuil, Grania poussa un petit cri de surprise : le léger phaéton découvert n'avait pas de chevaux et les plus jeunes des membres de l'équipage étaient déjà alignés aux brancards.

La voiture était décorée de ce même jasmin dont était faite sa couronne de mariée et un bouquet était posé sur le siège.

Quand le phaéton se mit en mouvement, Grania

pensa que c'était exactement le mariage de conte de fées qu'elle souhaitait.

Le comte lui tint la main tandis qu'ils suivaient le chemin étroit qui conduisait au petit village. Il n'était constitué que de quelques jolies maisons coloniales, aux balcons de fer forgé, construites en bord de mer et adossées à des collines qui formaient pour elles comme un écrin.

La vieille église était pleine de monde. Le curé qui les attendait sur le seuil les précéda à l'intérieur. Les amis du comte et les garçons qui avaient tiré la voiture étaient tous là pour assister à la cérémonie.

Ce fut pour Grania un office très émouvant et elle avait l'impression que les volutes d'encens qui s'élevaient très haut portaient leurs prières à Dieu qui, dans sa bonté, bénissait leur amour.

Elle était consciente du poids de l'alliance à son doigt mais plus encore de la présence du comte, à genoux à côté d'elle, et de sa voix qui faisait avec ferveur écho à la sienne.

La veille au soir, elle lui avait dit un peu nerveusement :

– Si je suis censée être votre cousine, est-ce que ce mariage sera légal ?

– Je pensais que vous poseriez cette question, répondit-il. Comme vous le savez, nous ne serons appelés que par nos prénoms et j'ai déjà dit au curé que vous aviez été baptisée « Teresa Grania ».

– Je croyais que ce devait être Gabrielle ?

– J'ai pensé que Gabrielle Grania n'était pas du plus heureux effet, répliqua-t-il et ils rirent tous deux.

– Teresa est un très joli nom et j'en suis ravie.

Au cours de la cérémonie, elle découvrit les

autres prénoms de son mari, car en répétant les
vœux il dit :

– Moi, Beaufort, Francis, Louis...

Quand ils sortirent de la petite église et furent
reconduits à leur voiture, Grania ne pouvait penser
qu'à l'homme assis à côté d'elle et aux mots
d'amour qu'il lui murmurait à l'oreille.

A la maison, ils furent rejoints par tous ceux qui
avaient assisté à la cérémonie et aussi par d'autres
amis de l'île. On servit du vin et un repas qu'Henri
avait dû passer la nuit à préparer, Grania en était
sûre.

Tout était très gai, plein de rires et de soleil.

Enfin, un peu à regret, les invités commencèrent
à prendre congé.

Partirent d'abord les amis qui habitaient dans
l'île, puis le curé et sa gouvernante et finalement, à
l'heure de la sieste, l'équipage regagna son navire.

Ce fut alors que Grania prit conscience d'être
seule avec son mari.

– Je crois, dit-il, que nous serions tous deux plus
à l'aise si nous faisions la sieste délivrés de nos
beaux atours. J'aurais grand-peur de froisser cette
magnifique robe.

– Elle devait être portée au palais de Bucking-
ham, dit Grania, mais je préfère l'avoir étrennée le
jour de mon mariage.

– J'en suis heureux, approuva le comte en souriant. Pourquoi nous soucier de rois et de reines
alors que nous sommes l'un à l'autre ?

Il l'entraîna dans l'escalier et une fois dans la
chambre Grania constata que quelqu'un, sans doute
Jean, avait baissé les jalousies. La pièce baignait
dans une fraîche pénombre.

Elle embaumait les fleurs qui avaient été disposées dans de grands vases, sur la coiffeuse et de chaque côté du lit.

– Ma femme! murmura tendrement le comte.

Puis il ôta avec délicatesse sa couronne de jasmin et souleva son voile.

Pendant un long moment, il la contempla avant de la prendre dans ses bras.

– Vous êtes réelle! dit-il comme s'il se parlait à lui-même. Tout à l'heure, il me semblait avoir à mes côtés quelque déesse des montagnes ou une nymphe des cascades, et j'avais presque peur...

– Je suis réelle, chuchota Grania, mais j'ai comme vous l'impression de vivre un rêve.

– Si c'en est un, alors continuons de rêver!

7

Quand Grania se réveilla, son cœur chantait comme les oiseaux dans le jardin et elle se tourna avec adoration vers le comte endormi à côté d'elle.

A chaque jour, chaque nuit passés avec lui, elle l'aimait davantage.

Mais aujourd'hui, ce n'était pas une journée comme les autres : ils partaient pour Grenade.

Ils étaient mariés depuis plus de trois semaines et, la veille, le comte avait dit :

– Je crois, ma chérie, que nous devrions faire notre dernier voyage à bord du navire avant que je le vende.

Elle s'était étonnée et il avait poursuivi :

– J'ai l'intention de vendre le navire en premier. Cela nous donnera, à l'équipage et à moi, assez d'argent pour prendre le temps de réfléchir et prévoir notre avenir. Ensuite, si nous ne sommes pas encore établis, d'autres choses seront mises en vente.

A sa façon de parler de ces « autres choses », Grania devinait combien il souffrait à l'idée de se séparer des tableaux et des trésors collectionnés par ses ancêtres pendant des siècles.

142

– Nous avons eu la chance de pouvoir les emporter de France avant la Révolution. Sans quoi tout ce que nous possédions aurait été pris ou brûlé par les paysans.

Grania comprenait qu'il aurait aimé tout préserver pour son fils, mais c'était sans doute impossible. Elle s'était alors écartée de lui pour dire au bout d'un moment, d'une voix hésitante :

– Parfois, je me dis que j'aurais dû vous laisser à votre liberté... de pirate, de flibustier.

Le rire du comte la rassura.

– Ma chérie, croyez-vous que j'aurais voulu rester pirate... et vous quitter sans cesse ? Je suis si heureux que je remercie Dieu tous les jours que nous vivions ensemble et que vous soyez ma femme. Cependant il nous faut vivre.

– Oui, je sais, mais...

Pour l'empêcher de se confondre en nouvelles excuses il l'avait prise dans ses bras et embrassée, et Grania s'était laissée aller à son bonheur.

A présent, sachant que le navire était en vente, elle espérait qu'il rapporterait assez d'argent pour que Beaufort, avant très très longtemps, n'ait à sacrifier quelque autre trésor.

Elle savait aussi qu'il avait raison quand il lui disait qu'avant d'être bloqués à Saint-Martin elle devait aller voir comment allait son père et, si possible, lui annoncer son mariage.

Comme cela signifiait qu'elle devrait quitter, ne fût-ce que brièvement, la petite maison du comte et le bonheur qu'elle y avait découvert, elle se serra contre lui.

Il se réveilla et, sans ouvrir les yeux, il la prit dans ses bras.

– Nous ne prendrons pas de risques, n'est-ce pas ?

dit-elle. Si c'est dangereux d'aborder à Grenade, nous ferons demi-tour?

Le comte la regarda.

– Croyez-vous, mon adorable, que je vous emmènerais là où il y a du danger? Je vous promets que si le drapeau blanc d'Abe ne nous dit pas que tout va bien, nous virerons de bord instantanément.

– C'était tout ce que je voulais savoir. Si jamais il vous arrivait quelque chose, je... je suis sûre que j'en mourrais.

– Ne parlez pas de mourir. Vous allez vivre et nous verrons nos enfants et nos petits-enfants courir dans les plantations de la Martinique avant que nous quittions cette terre.

Il parlait avec exaltation et Grania le prit par le cou pour attirer ses lèvres vers sa bouche.

– Comment puis-je vous dire combien je vous aime? murmura-t-elle.

– Comme ceci!

Il l'embrassa alors, elle sentit son cœur battre contre le sien et une même flamme brûla en eux.

Puis Grania crut entendre une musique venue d'ailleurs, une lumière très douce les enveloppa comme une bénédiction de Dieu et ils ne firent qu'un...

La mer était d'un vert émeraude étincelant, le ciel embrasé de soleil et, les voiles gonflées au vent, le navire semblait glisser sur les eaux lisses.

L'équipage chantait en travaillant et Grania avait le sentiment que, comme le comte, les hommes étaient heureux de renoncer à la dangereuse vie de la flibuste et de retourner à ce qu'ils appelaient la « respectabilité ».

Tous les soirs, au dîner, ils parlaient de leurs projets.

144

– C'est grand dommage qu'il n'y ait pas plus d'habitants à Saint-Martin, et ni crimes ni délits, disait Léon, sinon on aurait besoin de mes services.

– Pas de crime? demanda Grania.

Il secoua la tête.

– Si quelqu'un volait, comment s'enfuirait-il avec son butin? Et les gens sont si gais, si euphoriques que personne ne veut assassiner personne.

– Cela me paraît être un gaspillage de ton intelligence, répliqua le comte, mais je suis sûr que, lorsque nous rentrerons chez nous, tu trouveras des centaines d'affaires à régler.

Ils parlaient toujours avec optimisme de leur retour à la Martinique, et les clercs de Léon travaillaient le soir pour préparer leurs examens, même s'il était vrai qu'ils dussent attendre des années avant de les passer.

Grania avait maintenant beaucoup d'affection pour ces trois compagnons si proches de son mari et elle se rendait compte aussi que les hommes de l'équipage ne se contentaient pas de l'admirer : ils la consultaient sur leurs problèmes ou quand ils envisageaient des solutions pour l'avenir.

– Je suis sûre que toutes les femmes du monde m'envieraient si elles savaient que j'ai tant d'hommes merveilleux rien que pour moi! dit un jour Grania au comte.

– Vous m'appartenez, ma chère, et si jamais je vous surprends à regarder un autre homme, vous découvrirez que je suis très jaloux!

Elle se serra plus fort contre lui.

– Vous savez que jamais je ne pourrais regarder un autre que vous. Je vous aime tant que j'ai parfois peur de vous ennuyer en vous le répétant et que, lassé, vous alliez à la recherche d'une autre femme – un peu moins monotone en ses propos.

– Je veux votre amour et je considère que vous ne m'aimez pas encore assez. Je vous forcerai à m'aimer deux fois plus!

Il l'embrassa alors avec une fougue exigeante qui fit comprendre à Grania combien il avait besoin d'elle.

Comme ils ne croisèrent pas de navire tandis qu'ils voguaient vers Grenade, le voyage fut plus bref qu'à l'aller.

La veille de leur arrivée, Henri vint aider Grania à débarrasser ses cheveux de toute trace de teinture.

Ensuite, elle alla sur le pont les sécher au soleil et quand ils furent secs, elle les laissa tomber librement sur ses épaules.

Le comte était à la barre et quand il descendit dans la cabine au coucher du soleil, il vit Grania dans la lumière du hublot. Il s'arrêta un moment sur le seuil pour la contempler. Enfin il dit en souriant :

– Je vois que j'ai une visiteuse anglaise! Je suis enchanté de vous connaître, Mrs Vence!

Grania éclata de rire et courut vers lui.

– C'était parfait! Maintenant vous parlez mieux l'anglais que moi le français!

– C'est impossible, mais je suis ravi que vos leçons m'aient permis de faire des progrès.

– Vous parlez comme un Anglais, affirma-t-elle, mais vous êtes un peu trop élégant pour en être tout à fait un.

– Vous me flattez, répondit le comte. Quant à vous, n'oubliez jamais que, brune ou blonde, vous êtes mon épouse, ma très fascinante épouse française!

Il l'embrassa, puis il lui fit glisser les cheveux en

travers du visage et l'embrassa de nouveau entre les mèches bouclées.

– Vous êtes de nouveau ma jeune femme dorée. Je ne sais trop comment je vous préfère, brune et mystérieuse comme le crépuscule, ou éblouissante comme un soleil d'été.

Le comte avait prévu qu'ils arriveraient au large de Grenade après le lever du soleil, point trop tôt au cas où Abe n'aurait pas eu le temps de changer le drapeau. Mais ils furent retardés par une accalmie, si bien que lorsqu'ils arrivèrent en vue de l'île, il devait être environ 11 heures.

Grania était sur la dunette avec son mari et tous deux attendaient le signal de la vigie, qui pointait sa longue-vue.

Sur le pont, tout le monde se taisait. Enfin on entendit le cri :

– Un drapeau blanc! Je le vois nettement!

Le comte vira de bord, le vent gonfla les voiles et le navire s'élança.

Ce fut vraiment une prouesse de pénétrer dans la baie de Secret Harbour, mais Beaufort manœuvra admirablement et Grania sentit battre son cœur quand elle aperçut la jetée, les pins et les bougainvilliers qu'elle connaissait depuis son enfance.

Ils jetèrent l'ancre, la passerelle fut disposée et le comte aida Grania à descendre.

Ils étaient convenus de se rendre seuls à la demeure, pendant que les autres restaient à bord, prêts à appareiller rapidement si c'était nécessaire.

– Si papa est là, je veux qu'il fasse la connaissance de tout le monde, dit Grania.

– Il faudra d'abord savoir ce qu'il pense de moi. Il peut être violemment opposé à votre mariage avec un Français.

– Personne ne peut s'opposer à vous, affirma Grania et le comte rit en lui embrassant le bout du nez.

Il portait sur son bras la tunique d'uniforme de Patrick O'Kerry, et avait par-devers lui les papiers d'identité du jeune homme.

– Papa les conservera, dit Grania. Plus tard, quand la guerre sera finie et si elle est encore de ce monde, ils reviendront à la mère de Patrick.

– C'est ce que j'ai pensé.

– Comment pouvez-vous être si bon! s'exclama Grania. Je ne puis croire qu'un autre homme aurait de ces délicatesses, en pleine guerre.

– Une guerre qui, si Dieu le veut – et mes prières le lui demandent –, s'achèvera bientôt, murmura le comte.

Grania sentait qu'il craignait un peu l'accueil que lui réserverait son beau-père.

Mais elle était sûre que, à moins que Roderick Maigrin ne fût présent, son père serait heureux d'apprendre que sa fille vivait un grand amour partagé.

Si son père ne se trouvait pas à Secret Harbour, comment ferait-elle pour qu'il y vienne seul?

Il n'était pas possible de prévoir ce qui se passerait à leur arrivée, et l'essentiel était de voir Abe pour connaître la situation.

Ils traversèrent le bois de pins et Grania regarda son mari, avant qu'ils quittent l'abri des arbres pour le jardin. Il avait la mine grave, mais elle le trouva plus beau que jamais.

Comme il faisait très chaud, il ne portait qu'une fine chemise de batiste mais sa cravate était nouée de cette manière savante qui la fascinait toujours.

« Qu'il est élégant, pensa-t-elle, mais en même temps si viril! »

Ses pensées la firent rougir.

Ils passèrent entre les bosquets retournés à l'état sauvage, ces bosquets qui avaient été la fierté de sa mère.

Soudain, alors qu'ils atteignaient le milieu du jardin et faisaient face à la maison, un homme apparut sur la véranda.

Au premier regard, le cœur de Grania lui parut cesser de battre : l'homme portait l'uniforme britannique et des galons de colonel.

Le comte et elle s'immobilisèrent. Ni l'un ni l'autre ne bougea quand le colonel descendit et s'avança vers eux.

Derrière lui, Grania aperçut Abe et comprit, à son air consterné, que la visite de l'officier anglais était inattendue.

Le colonel s'approcha, tendit la main à Grania et sourit.

— Vous devez être lady Grania O'Kerry, dit-il. Permettez-moi de me présenter. Lieutenant-colonel Campbell. Je viens d'arriver de la Barbade avec un renfort de troupes.

Pendant un instant, Grania fut incapable de parler. Puis elle dit d'une voix qui ne lui sembla pas être la sienne :

— Comment allez-vous, colonel ? Vous avez certainement été bien accueillis à Saint-George's.

— Nous l'avons été, certes, et je pense que bientôt nous pourrons rétablir le calme.

Sur quoi, le colonel se tourna vers le comte et Grania comprit qu'il attendait des présentations.

Elle se demandait anxieusement ce qu'elle allait dire quand elle vit le colonel baisser les yeux sur la tunique d'officier de marine que Beaufort portait sur le bras.

Ce fut presque comme un message du ciel, une inspiration.

— Colonel, permettez-moi de vous présenter mon cousin, qui est aussi mon mari. Le capitaine de frégate Patrick O'Kerry.

Ils se serrèrent la main et l'Anglais dit en souriant :

— Je suis enchanté de faire votre connaissance, capitaine. Chose curieuse, le gouverneur me parlait justement de vous aujourd'hui et se demandait comment vous atteindre.

— A quel sujet? demanda le comte.

Grania, que l'anxiété envahissait, admira son calme et son naturel. Le colonel se tourna vers elle.

— Je crains fort, lady Grania, d'être porteur de tristes nouvelles.

— De tristes nouvelles? répéta-t-elle dans un souffle.

— Je suis ici pour vous apprendre que votre père, le comte de Kilkerry, a été tué par les rebelles.

Grania étouffa un cri et tendit une main vers le comte.

Il la prit aussitôt, et le contact de ses doigts fut un réconfort pour la jeune femme.

— Que... que s'est-il passé? demanda-t-elle.

— Il y a dix jours, les esclaves de la plantation de M. Roderick Maigrin ont voulu se joindre aux rebelles, expliqua le colonel. M. Maigrin l'a su et il a tenté de les retenir.

Grania fut certaine que Maigrin les avait abattus, mais elle ne dit rien et le colonel poursuivit :

— Les esclaves l'ont désarmé et ils ont abattu votre père, qui est mort sur le coup. Puis ils ont torturé M. Maigrin et finalement l'ont assassiné.

Grania garda le silence, soulagée cependant que son père soit mort sans souffrir.

Le comte intervint alors :

– Vous devez comprendre, mon colonel, que c'est un grand choc pour ma femme. Puis-je proposer que nous entrions dans la maison, afin qu'elle puisse s'asseoir?

– Oui, oui, certainement.

Le comte mit un bras autour des épaules de Grania et tandis qu'ils se dirigeaient vers les marches de la véranda, elle remarqua qu'il s'était mis à boiter d'une manière très convaincante.

Elle se demanda vaguement pourquoi.

Quand ils furent installés au salon, après avoir prié Abe de leur apporter un punch, le colonel demanda :

– J'imagine, capitaine, que vous avez hâte de reprendre la mer?

– J'ai bien peur que ce ne soit impossible pour le moment, répondit le comte. Comme vous devez le savoir, j'étais à bord de l'*Heroic* qui a été coulé et j'ai été blessé. Plusieurs membres de l'équipage également.

– Oui, j'ai remarqué que vous boitiez, mais indépendamment de votre blessure et étant donné que les circonstances ont changé pour vous, j'espère que nous pourrons vous persuader de rester ici.

Le comte parut étonné et le colonel expliqua :

– Vous avez certainement déjà compris que vous êtes désormais le comte de Kilkerry. Je dois vous dire que si les corps des gentilshommes assassinés ont été découverts, c'est parce que le gouverneur est pressé de remettre de l'ordre dans les plantations et de voir les esclaves reprendre le travail.

Grania redressa la tête.

– Je pense qu'il doit rester bien peu d'esclaves chez nous...

– Oui, sans doute, comme sur la plupart des plantations où beaucoup ont voulu rallier les rebelles; d'autres encore se cachent. Mais nous ne tarderons pas à reprendre le Belvédère et une fois que Fédor sera tombé entre nos mains, la révolte sera terminée.

– Par conséquent, les esclaves se remettront au travail et seront heureux de le faire, dit le comte.

– J'ai lieu de le croire. Et c'est pourquoi, milord, j'aimerais que vous restiez ici afin de diriger la plantation au nom de votre femme. C'est essentiel pour l'île. Et peut-être, si vous trouvez quelqu'un qui soit capable de s'occuper de la plantation de M. Maigrin, pourriez-vous veiller sur ses terres en même temps que sur les vôtres?

Un bref silence tomba, pendant lequel Grania devina à quoi pensait son mari.

– Je ferai de mon mieux, dit enfin le comte, et je crois pouvoir faire en sorte que nos esclaves soient satisfaits et oublient toute velléité de révolte.

Le colonel sourit.

– C'est bien ce que j'espérais entendre, monsieur, et je suis sûr que votre attitude fera plaisir au gouverneur... A ce propos, lady Grania, j'ai le regret de vous annoncer que le vieux gouverneur, que vous connaissiez bien, a été tué par les rebelles. Le gouverneur actuel est un nouveau venu dans l'île. Il sera heureux de faire votre connaissance plus tard mais, pour le moment, vous comprendrez sans peine qu'il ait des tâches urgentes à remplir.

– Je le comprends, dit Grania. Nous aussi allons être très occupés. Je crains que mon père n'ait laissé la plantation assez à l'abandon ces dernières années, et il va y avoir fort à faire.

– Je suis bien certain que votre mari saura redresser la situation, dit le colonel. (Et, ayant vidé son verre de punch, il se leva.) Si vous voulez bien m'excuser, je dois prendre congé. Il faut que je retourne à Saint-George's. Le gouverneur m'a prié, alors que j'aplanissais quelques difficultés à Saint-David, de passer par ici au retour et j'ai eu la chance de vous rencontrer.

– Nous espérons vous revoir, colonel, dit Grania.

– Je l'espère aussi, répliqua-t-il. (Et il serra la main du comte.) Au revoir, monsieur. Mes meilleurs vœux vous accompagnent. Je suis enchanté de vous savoir ici. Vous l'ignorez peut-être, mais il y a eu très peu de survivants de l'*Heroic*.

Le comte raccompagna le colonel jusqu'à son cheval qui l'attendait, encadré d'un peloton de dragons montés.

Il les regarda s'éloigner au trot, puis il revint dans le salon.

Dès qu'il apparut sur le seuil, Grania se précipita vers lui et se jeta à son cou.

– Chéri, vous avez été merveilleux! Pas un instant il n'a soupçonné que vous n'étiez pas celui que vous disiez!

– Celui que *vous* avez dit, rectifia-t-il. Et j'ai beaucoup admiré votre présence d'esprit.

Il attira Grania vers le canapé et s'assit à côté d'elle, lui tenant la main.

Elle l'interrogea du regard et il lui dit très gravement :

– C'est une décision que vous, et vous seule, pouvez prendre. Devons-nous rester ici ou repartir?

Grania n'eut pas besoin de réfléchir.

– Accepteriez-vous de diriger la plantation, comme l'a suggéré le colonel?

– Pourquoi pas? Elle vous appartient. Je me doute que ce sera un dur travail, mais avec mon expérience je crois pouvoir réussir. Et en restant ici, nous pourrons probablement procurer du travail à nos amis, et votre mission, ma chérie, sera de leur inculquer parfaitement la langue anglaise. Vous verrez, ils sont intelligents, et il ne devrait pas être difficile à Léon de trouver à s'employer à Saint-George's. Et si nous agissons avec efficacité, André et Jacques pourraient reprendre la plantation de Roderick Maigrin.

Grania battit des mains.

– Ce serait merveilleux! Et, dans un sens, ce ne serait que justice : cet homme s'est si mal conduit et a eu sur papa une si désastreuse influence.

– Si j'ai pu tenter d'être flibustier, je puis certainement tenter d'être un planteur anglais, dit le comte. C'est à vous d'en décider. Mais si vous préférez retourner à Saint-Martin, mon adorable, je serai d'accord.

Grania sourit.

– Pour vendre vos précieux trésors? Jamais! Nous devons rester ici, et intelligent comme vous êtes, je suis sûre que nous ne serons jamais démasqués. D'ailleurs, il n'y a plus d'O'Kerry pour vous accuser d'usurper le titre.

Le comte se pencha et embrassa sa femme.

– Il en sera fait selon vos désirs, et à l'avenir vous pourrez choisir, décider si vous êtes une *countess* ou une comtesse, et assortir la couleur de vos cheveux à votre personnage!

Grania éclata de rire, puis elle appela Abe.

– Ecoute-moi, Abe, lui dit-elle. Toi et moi serons les seuls à savoir que ce monsieur-là est en réalité un Français. Tu as entendu ce que le colonel a dit?

– J'ai écouté, milady. Très bonne nouvelle! Nous serons riches. Tout le monde heureux!

– Bien sûr!

– Une petite mauvaise nouvelle, milady.

– Ah, mon Dieu! Quoi donc?

– Le nouveau gouverneur, il nous prend Mama Mabel. Il la paie très cher. Elle est partie à Saint-George's!

Grania rit.

– Eh bien, ainsi, il sera plus facile de demander à Henri de prendre en main la cuisine, déclara-t-elle. (Elle ajouta, plus vivement :) Cours vite au navire, Abe, et demande à Henri de venir préparer le déjeuner. Dis à tous les autres de venir aussi, et « Sa Seigneurie » leur expliquera ce qui a été décidé.

Elle rit encore, en donnant au comte son nouveau titre anglais.

Alors qu'Abe, sans un mot, s'éloignait, le comte tendit les bras à Grania et la serra contre lui.

– J'espère que vous savez à quoi vous vous engagez, ma chérie. Vous allez avoir à travailler très dur et moi aussi.

– Mais ce sera merveilleux de travailler ensemble et j'ai imaginé un nouveau prénom pour vous, un nom anglais.

Le comte haussa les sourcils et elle annonça :

– En territoire anglais, je vous appellerai Beau, et Beaufort en territoire français. Après tout, Beau peut être appliqué à des Anglais – ainsi Beau Flush. Et qui mieux que vous porterait ce nom?

– Si vous me voyez ainsi, je ne puis qu'être satisfait.

Il la serra contre lui en ajoutant à voix basse :

– Quelle chance, ou quelle bénédiction, d'avoir

trouvé un asile où nous pourrons travailler, où je pourrai vous aimer jusqu'à ce qu'il nous soit possible de rentrer chez nous!

– Et si, le moment venu, je veux rester ici? demanda Grania.

Il l'examina pour voir si elle parlait sérieusement et comprit qu'elle le taquinait.

Les lèvres sur la bouche de sa femme, il murmura :

– Mettons cela au point une fois pour toutes : où j'irai, vous irez. Vous êtes à moi! Vous m'appartenez et toutes les nations du monde ne pourraient nous séparer.

– Ah, mon amour, c'est ce que je voulais vous entendre dire! murmura Grania dans un soupir. Et vous savez combien je vous aime.

– Je vous en rendrai plus certaine de jour en jour, d'heure en heure!

Le comte la serra contre lui avec passion et quand il l'embrassa elle sentit qu'une fois de plus il affirmait sa suprématie et sa domination.

Elle s'y soumettait avec joie parce qu'elle l'adorait, parce qu'il était tellement « homme » mais en même temps si sensible et compréhensif.

Elle savait qu'avec lui elle serait toujours en sécurité, protégée. Et peu importerait le lieu, peu importerait dans quelle île ou dans quelle partie du monde...

Ses bras étaient la rade cachée, son doux refuge.

Enfin, comme les baisers du comte devenaient plus exigeants, elle rejeta la tête en arrière, leva les yeux et dit d'une voix tremblante :

– Mon amour, les autres vont arriver. Je vous en prie... ne me troublez pas avant... avant ce soir.

Elle vit un éclair fulgurer dans les yeux du comte mais il sourit.

– Ce soir? Pourquoi attendre ce soir? Après le déjeuner, nous avons droit à la sieste et j'ai la ferme intention de vous raconter, ma merveilleuse petite épouse, comment je suis tombé amoureux d'un portrait et comment le destin m'a apporté davantage, le modèle, infiniment plus fascinant que tout ce que j'ai jamais connu.

Et il se remit à l'embrasser avec fougue jusqu'à ce qu'ils entendent des voix dans le jardin.

C'étaient des hommes parlant avec animation dans une langue qui n'était pas la leur.

Car pour Grania et Beaufort, il n'y avait plus qu'un seul langage, que tous deux comprenaient et qui serait le même partout où ils iraient, le langage de l'amour.

Les jalousies étaient baissées et la pièce embaumée de jasmin était noyée dans la pénombre. Sur les oreillers bordés de dentelle, deux têtes étaient rapprochées.

– Je t'adore, mon amour, murmura le comte en français.

– Mon chéri... Je vous aime, je vous aime.

– Répétez-le-moi, je veux en être certain.

– Je vous adore.

– Moi aussi je vous adore et vous vénère, mais je veux aussi vous plaire.

– Comment puis-je... exprimer... ce que je ressens?

Grania parlait d'une voix basse, haletante. Les mains du comte la caressaient et elle sentait qu'il avait le cœur aussi battant qu'elle.

– Je te désire, ma chérie, je te désire!

– Et moi je te veux... Ah, mon merveilleux Beau... aime-moi!

– Donne-toi toute!

– Je suis à toi... à toi...

– A moi, maintenant et pour toujours!

Et puis il n'y eut plus que l'amour dans la baie secrète qui n'appartenait qu'à eux et où nul ne pouvait pénétrer.